この国のかたちを見つめ直す

加藤陽子

毎日新聞出版

この国のかたちを見つめ直す

はじめに

内容によって六つの章に分けられたこの本は、ほぼ3種の文章からなっている。一つは、2010年4月から月1回連載された「時代の風」というエッセー、二つは、2020年4月から同じく月1回連載中の「加藤陽子の近代史の扉」というコラム、そしてその間に「今週の本棚」に書かれた書評であり、若干の例外として数本のインタビュー記事も含むが、その全てが「毎日新聞」に掲載されたものだ。

原稿用紙にして4～5枚、一息でとは言わないが通勤途中の1駅ほどで読める分量で、国家と国民、東日本大震災、天皇と天皇制、戦争の記憶、世界と日本、を論じている。

2021年5月18日に内閣府が発表した2020年度のGDP（国内総生産）は、世界的に感染拡大が見られた新型コロナウイルスの影響もあって、実質伸び率でマイナス4・6％を記録し、比較可能な1995年度以降最大の下落となった。これは、リーマン・ショックに伴う世界的な金融システムの混乱に揺れた２００８年度より悪いことを意味する。

本書の文章が書かれたほぼ10年間という時間軸は、その入り口と出口において尋常ならざる経済的な危機に刻印された時期となった。著者は、１９３０年代の日本の外交と軍事を専門としてきたが、この１９３０年代の危機とは、世界的規模における経済的危機であり、英米ソ日などが角逐する極東の軍事的危機でもあった。著者が２０１０年から現在に至るまでにその時々の「今」を見つめる際、脳の中で参照するインデックスはどうしてもこの１９３０年代の歴史ファイルとなるが、期せずして最適の引証例になったかもしれない。

本書のタイトルは、司馬遼太郎が１９８６年から「文藝春秋」に連載したコラム「この国のかたち」（後に『この国のかたち』文藝春秋）を踏まえている。明治国家が日露戦後に変質していった理由を司馬は、統帥権独立の法解釈の暴走が鍵とみた。その際の「国のかたち」とは、国柄、国の成り立ち、政治文化を意味する。著者には、司馬のこのコラムに触発され、それを批判的に論じた論考「統帥権再考」（『戦争の論理　日露戦争から太平洋戦争まで』勁草書房）もある。

危機の時代には、国家と国民の関係を国民の側から問い返して、見つめ直すことが必須となろう。本書がそのためのハンドブックともなれば幸いである。

この国のかたちを見つめ直す ＊ 目次

第2章 震災の教訓 東日本大震災10年を経て

第4章 戦争の記憶 歴史は戦争をどう捉えたか

第6章　歴史の本棚

V 世界の中の日本

ブックデザイン　鈴木成一デザイン室
編集協力　阿部えり
DTP　センターメディア

第1章

国家に問う

今こそ歴史を見直すべき

コロナ禍への最良の方策を求めて

為政者・専門家・国民をつなぐ鍵とは

今を見つめることで過去を再考し、さらに再び現在に視線を戻した時、自らの目に映る「景色」が全く違って見えた経験はないだろうか。私も新型コロナウイルス禍を機に、100年前のスペイン風邪を振り返って愕然《がくぜん》とした。1918年から3度の流行で40万人もの死者を出しながら日本の社会に記憶の痕跡がないのだ。それはなぜなのか。

歴史家の磯田道史氏の見解が興味深い。感染症は山河・市街の風景を変えないので記憶に刻まれなかったのではないかと。これに私が加えたい観点は「時間」だ。2020年4月11日の時点で、新型コロナウイルスによる米国人の死者は2万人を超えたが、最初に死者が確認されたのは同年2月29日だった。たった四十余日で地獄を招来したウイルスの素早さに、人間の時間感覚が追いつけないのではないか。たとえれば、人間の記憶媒体にウイルス事案は書き込み不能なのではないか。これが今回私の見た「景色」である。

ならば、現在の日本の状況を記憶に留めるため、コロナ禍をめぐる政治過程を記録にとどめてみよう。政治史の目的の一つは、ある争点をめぐり、政治主体（プレーヤー）が織りなす対立・連携を描くことにある。この間テレビやネットを眺めていて強く印象に残ったのは、国内世論を二分する鋭い争論が展開されていることだ。感染をいかに封じ込めるかをめぐって、私のような素人目には双方正しく見える議論が、熱気や罵倒と共に繰り広げられていた。

争点は次の2点にまとめられよう。第一に、厚生労働省クラスター対策班が主導した感染第1波の封じ込めは成功したのか。第二に、市中感染の規模に鑑みれば、初動で大規模なPCR検査（遺伝子検査）体制を整えるべきだったのではないか。やらなかった説得的な理由は何だったのか。

この主題をめぐり、一方の論者はこう主張する。新型の特徴として感染連鎖の弱さがある、よって患者クラスター（集団）発生の端緒を捉えて追跡し、かつ実効再生産数（1人あたりが生み出す2次感染者数の平均）を1未満に抑えれば拡大防止になると見通したのだと。10万人あたりの死者数0・07を見ても第1波封じ込めは成功したといえるのではないか。

これに対し、もう一方の論者はこう主張する。クラスター追跡といった一か八かの賭けではなく、無症候キャリアー（本人は無症状だが他人に感染させる者）を確実に発見し、医療従事者を感染から守るためにも、早急かつ大規模なＰＣＲ検査こそ必要だったと。厚生労働省が国立感染症研究所と地方衛生研究所だけに検査を絞った理由など説明してほしいと迫るのだ。

前者の見方は、２０２０年2月25日から厚生労働省クラスター対策班の指揮にあたった東北大学の押谷仁教授や北海道大学の西浦博教授自身、また彼らの編み出した戦略を支持する人々によるものだ。後者の見方は、検査数を限ったことで感染確定が遅れ、死者も出たとの不安、体調不良を自覚した人が検査を受けられないことへの苦しみなどに共感する国民感情に支持されている。

前者の主張は、シンガポールや韓国のような資源や設備を持たなかった日本の専門家が、現実的に選択しえた最適解を示すものだと思う。後者の主張は、検査を増やせという野党側に厚生労働省側が答えていた説明、すなわち、検査は誤判定を生む、検査を増やすと医療崩壊を招くといった説明が説得力を欠くとの批判だといえる。

だが、改めて考えてみれば、専門家の主張と国民の希望は矛盾していない。時間差と配分比を案配すれば両立可能な二方策なのではないか。問題は、検査すれば医療崩壊を招くと国民へ説明した厚生労働省官僚や政治家の説明の是非にある。なぜ検査数を絞ったのか。それは、受け入れ可能な病床数から逆算して検査数を絞っていたからだと正直に答えればよかった。ここにネックがあるのならば法に手を加え、軽症者の院外移送へ舵《かじ》を切れば済む話だろう。

そのうえで大臣ら政治家は、政策の決定者として、専門家集団の知見と国民の要望をつなぎつつ、日本のとる戦略はこうである、と宣言すればよい。政治家の仕事とは、ある争点をめぐっての各政治主体の対立を、説得によって最適解へと導くところにあるはずだ。

感染の第2波が始まり、現在の日本は新たな局面へと進んだ。そうであれば、大規模なPCR検査、クラスター追跡、3密回避、接触8割減、位置情報を民主的な制約下で用いるアプリの活用など、全ての方策を動員するしかない。コロナ後私たちが見る「景色」はいかなるものなのだろうか。

（2020年4月18日）

五輪開催の可否は科学的知見で

国内外への説得の論理——終戦の詔書の考察から

今や2月も後半。夏の東京オリンピック・パラリンピックまで半年を切った。ワクチンの効果は絶大なようだが、新型コロナウイルス変異株の脅威もまた大きそうだ。人間界では、大会組織委員会トップが女性蔑視発言を機とした内外の批判により辞任した。直近の時事通信の世論調査では、再延期・中止論が6割超あり、国論が二分された状態はなお続いている。

言葉には力がある、ここまではよいだろう。だが、「起きてほしくない事態＝プランB」を考えず「開催」だけを唱え続ける態度、日本の政策決定でよく目にする「言霊《ことだま》対応」は、もはや許されない状況となった。日本と世界の感染状況に対応し、科学的知見に裏づけられた、科学的検証に堪えうる施策が実施できるかどうか。ここに、開催可否の基準が置かれるべきだろう。この場合の科学的知見は、公開性かつ共有性が担保されていなければならない。科学に基づいて判断がなされた、と内外から信頼される政治決定が求められる。「開催貫徹＝プランA」は、既に組織委員会によって十分検討されているはずだ。よってここでは、「プランB」、感染の規模やワクチン接種の状況に鑑み開催困難となった時、政治の側が発すべき言葉について考えてみたい。国論が二分された状況下、極めて重要な物事が止められた例を、歴史のインデックスから探してみると、巨大な先例として、第二次世界大戦最終盤における、終戦という選択がそれに当たると気づかされる。

２０２１年１月に長逝した半藤一利氏は『日本のいちばん長い日』（文春文庫）で、ポツダム宣言受諾による終戦と、天皇の聖断による降伏が紙一重の真剣刃渡りだった歴史を描いた。編集者としての半藤氏の辣腕《らつわん》ぶりは、本作品が書かれる2年前、同名の題で挙行した大座談会（『文藝春秋』１９６３年８月号）からも察せられる。１９４５年８月15日正午、玉音盤によるラジオ放送が流れた。ここに至る24時間に関係した当事者30人が一堂に会した大座談会中、興味深い発言が見いだせる。

終戦時の海軍作戦部長・富岡定俊がこう述べていた。終戦の詔書というのは「実によく出来ている。（略）『堪え難きを堪え、忍び難きを忍び』なんていうのは、国民に対してではなく、軍を対象にしているな、と思うのです」。富岡は１９３６年２月の２・26事件にあたって事件を予測し、1週間前から記録を作成し始めた切れ者なので余計に注目される。終戦の詔書の宛名は、徹底抗戦を唱える軍人だったという見立てだ。

終戦の詔書が「実によく出来てい」たのには理由があった。天皇の言葉を綿密に準備していた人間がいたからである。詔書起草に関与した者としては、思想家の安岡正篤《やすおかまさひろ》や内閣書記官長の迫水久常《さこみずひさつね》らが有名だ。だが、早い段階から天皇の詔書による終戦、との見取り図を描けていたのは、東京帝国大学法学部長の南原繁《なんばらしげる》ら7教授だった。南原らは、詔書に書くべき言葉を1945年春から練り始めていた。

戦争を終結させるには大義名分が要る。詔書の言葉のエッセンスを南原は、海軍一の情報将校、高木惣吉との極秘会談で語っていた。簡単な表現に改めて記せばこうなる。いわく、盟邦亡《ほろ》び、自国のみ戦うは、朕《ちん》の心に非《あら》ず。世界人類のため、また内に向かっては国民を塗炭《とたん》の苦しみより救うため、戦いを止めるのだ、と。実際の終戦の詔書を思い出してみる。中核となる論理は、南原の構想に沿ったものだった。交戦を継続すれば、民族の滅亡だけでなく、人類の文明をも破却する、それは耐え難いとの論理構成がとられていた。

注目すべきは、日本と世界、国民と世界人類というように、内と外双方へ向けた深い洞察が周到に書き込まれていたことだ。終戦工作は極めて危険なものだったから、南原らは学問的に正確な情報を集め、的確に分析することで得た結論を、要路者に上げることだけを考えて行動していたという（丸山真男・福田歓一編『聞き書　南原繁回顧録』東京大学出版会）。

これまで述べてきたことは、統治権の総攬《そうらん》者が天皇であった時代の歴史である。五輪の中止を言うのに、政治的権能を持たないはずの天皇を持ち出そうとするのか、時代錯誤も甚だしいとの批判も聞こえてきそうだ。だがそこは誤解のなきよう。ここで考えようとしたのは次の点だ。大戦の惨禍をくぐって誕生した新憲法で、主権者は国民と明示された。その我々が、終戦にあたって南原や天皇を含めた要路者のなした政治決定の記憶を継承しておくのは、今後のために有益なのではないか。

感染状況が思わしくなければ、内なる国民と外なる世界の人々双方の生命の安全を確保しつつ五輪を開催するのは難しい、こう率直に言明したらどうだろう。ゼウス神にささげる宗教儀礼から始まった五輪。生命は契約に優先する、こう断言できる世は来るだろうか。

（2021年2月20日）

公的学術機関の専門性・人選の自律性を憲法が保障する理由

歴史から考える

敗戦からほどない1949年に日本学術会議は設立された。第1回総会において、科学者の戦争協力を反省し、科学こそ文化国家・平和国家の基礎となるとの決意表明がなされたことについては、昨今の報道などにより、かなり世に知られるようになってきた。

ただ、戦争協力のくだりを読むと、わずかだが胸のうずきを覚える。母国が戦争を遂行したのであれば、科学者たる者、協力すること以外に選択肢はあったかとの問いが生ずるからだ。国防への貢献を要請される重責と、自らの基礎研究への情熱と。この葛藤に全く苦しまなかった科学者の姿は想像しにくい。よって、この苦悩と葛藤を二度と招来しないとの決意から、軍事研究を行わないと選択したのは自然なことだっただろう。

そのうえで、次に引く仁科芳雄《にしなよしお》の手紙を読めば、日本の科学者が敗戦時に見た光景がよりリアルに迫ってくる。原子物理学の父・仁科は、1943年、理化学研究所に大サイクロトロン（核粒子加速装置）を建設したことで知られる。「ニ」号（原爆）研究も進めていた仁科は、1945年8月7日、米軍による広島への原爆投下翌日、理研の同僚に宛てこう書いた（『仁科芳雄往復書簡集 Ⅲ』みすず書房）。

米英の研究者は日本の研究者即《すなわ》ち理研の49号館の研究者に対して大勝利を得たのである。これは結局に於《お》いて米英の研究者の人格が49号館の研究者の人格を凌駕《りょうが》しているということに尽きる。

ここで注目したいのは、仁科が日本の敗北を日米の圧倒的物量差に帰さなかった点だ。第二次大戦への向き合い方において、米英の研究者の人格が日本の研究者のそれを上回っていたと仁科は結論づけた。これと同じ見方をした知識人に民俗学者の折口信夫《おりくちしのぶ》がいた。1949年刊行の本で折口は、米国の青年らが「十字軍における彼らの祖先の情熱をもって、この戦争に努力」していたのなら、日本に勝ち目はないと1945年夏に悟ったと書く。折口はそれを、日本の神々が敗北したのだと表現した。

人格と情熱の有無が彼と我の戦争の性格をたしかに分けた。これは第二次大戦に関する限り、1928年の不戦条約に違反した国と違反国に制裁を加えた国の暴力が区別されうることを意味していた。原爆が初めて人間に使用されたのを契機に敗北を認めた当時の日本人は、国際法の講釈を聞くまでもなく、次の真理を骨がらみでわかったはずだ。全ての国家を拘束するような基本的な政治道徳というものはある、と。よって、いかなる国家も主権の行使が普遍的な政治道徳を破るような場合、主権を行使してはならなかったのだと。

ここまで読み、「政治道徳」「普遍」といった言葉をどこかで見たと思った方は慧眼《けいがん》だ。これらは日本国憲法前文第3段落に書き込まれている。「（略）政治道徳の法則は、普遍的なものであり、この法則に従ふことは、自国の主権を維持し、他国と対等関係に立たうとする各国の責務であると信ずる」。戦後の仁科は、学術会議創設に尽力する。仁科の墓誌銘を揮毫《きごう》したのは吉田茂首相だった。

学術会議誕生の背景を考えていると、日本国憲法そのものもまた戦争の結果誕生したと改めて腑《ふ》に落ちる。戦争の究極の目的が、相手国の憲法を書き換えることにあるとルソーから説いたのは長谷部恭男・早稲田大学教授だった。ならば、「学問の自由は、これを保障する」と規定した憲法第23条は、いかにして生まれたのか。

実のところ、本条は日本側の熱意によって磨かれた条文だった。総司令部の原案は「学問の自由および職業の選択は、保障される」であり、いささか雑な出来だった。職業選択と一緒にされたあたりは、過酷な思想統制がなかった米国ならではの書きぶりだろう。世界の憲法を眺めれば、「学問の自由」の条文を置かない国も多い中、標準装備といえない本条を制定するにあたって日本側は、何を託そうとしたのだろうか。

日本国憲法の審議過程で、議会答弁を一手に担当したのは金森徳次郎《かなもりとくじろう》国務大臣だった。金森は美濃部達吉の天皇機関説事件の折、同じく機関説論者だとして法制局長官の地位を追われていた。金森以上に憲法第23条を語るにふさわしい人物はいなかった。高らかに金森は謳《うた》う。「この憲法の狙い所の一つは、この人間の完成と云《い》う所に狙いを持って居《お》ります。学問を止めて人類の完成と云うものがどうして出来るであろうか」と。

金森の説明に加え、判例を踏まえた憲法解釈をまとめておきたい。第23条は生まれながらの人一般の学ぶ権利を保障したものではない。それは思想・良心の自由（第19条）、表現の自由（第21条）で保障されうるからだ。第23条は専門領域の自律性、公的学術機関による人選の自律を保障するために置かれた。学術会議問題の根幹には、たしかに学問の自由の問題があるのだ。

（2020年11月21日）

「学術会議6人除外」と日本の科学技術政策の向かう先

発足直後の世論調査で6～7割超の支持を得た菅義偉《すがよしひで》内閣。行政改革やデジタル庁など重要案件が待つ今、なぜわざわざ、日本学術会議の新会員候補名簿から6人を除外して決裁するという批判を浴びるまねをしたのか。目的と手段の点で整合的ではなく見え、政治分析の玄人筋も首をひねる事態となった。

少し回り道をしよう。今の大学は、高校生向けの出張講義に熱心だ。先日、ある県立高の2年生に向けたオンライン講義で、歴史学は何をする学問かについて話をした。まず、英国の歴史哲学者ロビン・G・コリングウッドの定義では、こう説明される。「歴史の闇に埋没した『作者の問い』を発掘すること」だと。換言すれば、歴史上一定の時代に現れたり創られたりした制度・組織・論理が、なぜその時代に現れるのかを考える態度となる。制度や組織を創り出した「作者」の思索の跡をたどるのが歴史学の役割ということになろう（コリングウッド、小松茂夫・三浦修共訳『歴史の観念』紀伊國屋書店）。

こう述べた後、一つの問いを考えてもらった。１８８９年6月、枢密院議長・伊藤博文は、歴代天皇の陵墓で場所が未確定のもの、例えば安徳天皇陵がどの墓かを治定しようとした。伊藤は、何を考えてそのようなことをしたか。答えは意外な方向から来る。伊藤は、予想される不平等条約の改正にあたって、外国の信頼を得るため、皇統の確からしさが必要と考えていた。陵墓確定という「作者」の問いは、意外にも条約改正と結びついていたのだ。

歴史家の仕事は「作者」の問いの発掘にあり。そこで、なぜ日本学術会議の名簿から6人が除外されたのか、「作者」たる首相官邸の側の思索の跡をたどってみたい。もちろん、私が名簿から除外されたうちの一人で、当事者という点はご留意いただきたい。

菅内閣は、行革やデジタル庁創設を掲げ、先例打破の改革者イメージをまとって発足した。最重要課題の一つが、１９９５年の科学技術基本法（旧法）を２０２０年夏、25年ぶりに抜本改正した「科学技術・イノベーション基本法」（２０２１年4月施行）の着々たる執行であるのは明らかだ。ただ、この間の人々の関心は新型コロナウイルス一色で、本法案の国会審議に注目していた人はまれだろう。

実は、今回の改正の重要な目玉の一つが、除外された学者の専門領域に直接関係していた。日本学術会議は、第1部（人文・社会科学）、第2部（生命科学）、第3部（理学・工学）からなる。名簿から除外された6人全員が第1部の人文・社会科学を専門とする。安倍晋三政権下で成立した新法は、旧法が科学技術振興の対象から外していた人文・社会科学を対象に含めたのだ。

改正は、日本学術会議のかねての勧告・提言の具体化で、その方向性自体は評価できる。2020年7月閣議決定の「統合イノベーション戦略2020」も、「人間や社会への深い洞察に基づく科学技術・イノベーションの総合的な振興」が不可欠の時代になった、との認識で書き始められていた。

今回の人文・社会系研究者6人の任命除外をめぐっては、「世の役に立たない学問分野から先に、見事に切られた」との冷笑もSNS（ネット交流サービス）上に散見された。だが、実際に起きていたのは全く逆の事態なのだ。人文・社会科学が科学技術振興の対象に入ったことを受け、政府側がこの領域に改めて強い関心を抱く動機づけを得たことが、事の核心にあろう。

参議院で矢田稚子《やたわかこ》議員も指摘していたが、新法下で「科学技術・イノベーション推進事務局」が内閣府内に司令塔として新設されることにより、自然科学のみならず人文・社会科学も、「資金を得る引き換えに政府の政策的な介入」を受ける事態が憂慮されるのだ。

鈴木淳・東京大学教授によれば、科学技術政策とは、広範な国家的課題の解決を目標とし、直接的にそれを達成したり、将来的に問題を解決したりする基礎科学の振興を図る政策である。ならば、25年ぶりの抜本改正は、解決すべき重要課題を国家が新たに設定し、走り始めたことを意味しよう。

「作者」の問いに戻る。現状は、日本の科学力の低下、「データ囲い込み競争の激化、気候変動を受けて、「人文・社会科学の知も融合した総合知」を掲げざるをえない緊急事態である。新法の背景には、国民の知力と国家の政治力を結集すべきだとの危機感がある。顧みれば、科学技術という言葉が初めて公的な場に登場するのは1940年8月、総力戦時の学会大再編の時だった。この流れの結末を、私たちはよく知っている。

このたび国は、科学技術政策を刷新したが、最も大切なのは、基礎研究の一層の推進であり、学問の自律的成長以外にない。国民からの負託のない官僚による統制と支配は、国民の幸福を増進しない。2度目の敗戦はご免こうむる。

（2020年10月17日）

個人が尊重されるかどうか国民世論のありかに信頼

編集部注：政府に任命拒否された日本学術会議の新会員候補6人のうちの1人となり、2020年秋は「渦中の人」に。女性として道を究めること、東京大学の女子学生の少なさや選択的夫婦別姓の問題など、ジェンダーに関するあれこれについて毎日新聞デジタルのインタビュー（牧野宏美記者）を受けた。

生き方を選べなかった「祖母」や母

――加藤さんが学生、教員として長く過ごしてきた東京大学ですが、女子学生の比率は現在でも約2割にとどまり、少数派です。もともとは、なぜ東京大学を選んだのですか。

実は、私の生い立ちが関係しています。自己決定権や個人の尊厳の問題に、早くから敏感にならざるをえない家庭環境でした。１９２３年生まれの父は１９４４年に応召、ソ連の国境と近い満州（現・中国東北部）の東寧《とうねい》というところの守備隊に送られ、同年10月に熊本予備士官学校に入るため内地へ戻りました。幹部候補生試験に合格できたことで死地を脱することができ、本土決戦要員として高知の高角砲陣地で終戦を迎えます。戦後に結婚しますが、最初の妻を結核で亡くし後妻を迎えます。それが私の母でした。私と姉は父母の子ですが、我が家には亡くなった先妻さんの母が同居していました。父はこの「義母」を、この時代にはよくあった道義心によるものでしょうが、最期まで面倒を見ていました。

家族の仲は悪くはなかったのですが、時に「祖母」と母との間に子どもでもわかる緊張感が漂うことがあり、私は幼い頃から2人をかわいそうだと思っていました。自分の意見を述べたり、生き方を決めたりできなかったからです。「祖母」には他にも実の娘がおりましたから、本当は彼女と暮らしたかったかもしれない。母の心情はなお複雑であったでしょう。そのような環境で育ちますと、女性も自分の望む生き方を自分で言えなければ駄目だなと、またそれを言える力を持たなければ駄目だなと自然に考えるようになりました。

東京大学を選んだのはかなり自覚的だったと思います。学問を学べば生き方の選択肢も広がり、自己決定権も増すと素朴に信じていたと思います。

――入ってみてどうでしたか。

とにかく「野蛮」な時代で（笑い）。体育の授業前に着替えるための女子学生用の更衣室すらありませんでした。バレーボールの授業では女子が少ないため男子と一緒に交ざって試合がなされます。男子のアタックに当たらないようコートを逃げ回る日々でした。

女子学生の少なさは、入るのが難しい大学だからというよりは、その時代の社会構造の正確な反映なのではないかと思います。例えば、新聞社でも管理職の女性の割合は2割いっていませんね。社会の中での「自然化」された差別の正直な結果なのでしょう。

1950年代、ある製鉄所で事故が起こりました。ある男性社員が徹夜で家族を看護していたための疲労が原因でした。会社はさっそく動きますが、多くは男性である社員の福利厚生ではなく、その妻らに向けての生活改善指導を始めるのです。家族が病気になれば女性が面倒を見るべきだとの前提で、会社側は「新生活運動」なるものを始めます。これは、アメリカ人の労働史・社会史の碩学《せきがく》であるアンドリュー・ゴードンさんが調べた話ですが、このような「自然化」された差別が、日本社会のジェンダーギャップの根幹にしぶとくあるのだと思います（アンドリュー・ゴードン「日本家庭経営法―戦後日本における『新生活運動』」、西川祐子編『歴史の描き方 2 戦後という地政学』東京大学出版会）。

今も怒りがわく「どうせ就職できない」

――その後研究者の道を選ばれたわけですね。女性であるという理由で障壁を感じたこともあったのでは。

小さい頃から、あまのじゃくだったので、周りの環境に従って生きるのは無理だろう、摩擦を起こせば周囲も自分も不幸になるだろうとの自覚がありました。1人で勝手に生きていくには、物書きか研究者の2択しかないと。研究者になってからは、もちろん、グロテスクなまでの言葉のハラスメントを多数経験してきています。中でも忘れられないのは、1984年、修士論文を書き終わり、ある研究会で発表した後の懇親会でのことです。何月何日かまで覚えていますね。24歳の時のことですが、一回り年上の日本近代史の男性研究者に「君は女性だから、どうせ就職できない。だから僕と一緒にアメリカに行こう」と言われました。二つの点で許しがたい発言です。まず「女性だから就職できない」、これは一発アウトでしょう。続く「僕と一緒にアメリカに行こう」は、私に好意を持っているような言い方ですが、研究者を目指していた私を対等に見ておらず、ばかにした話です。「逃げ道」を残した、ずるいハラスメントだといえますね。絶対に早く就職し、自力でアメリカに行って見返すしかないと決心し、5年後に共に実現させました。

ある意味この言葉ゆえに奮起した面もありますが、その時には場の雰囲気を壊さない程度にしか言い返せなかった当時の自分への悔しさもあり、怒りのエネルギーは全く減る気配がないです。何度もハラスメントを受けて、頑張る気力さえ失ってしまう女性があの頃は多かったと思います。

――約30年前に結婚して姓が変わっていますが、仕事上、不都合はなかったのですか。

山梨大学に任期のない職を得た春に結婚もしましたので、就職と、旧姓の「加藤」から配偶者の姓の「野島」になるのが同時でした。当時は結婚後の旧姓使用は一般的ではありませんでした。しかし、私は結婚するまでに査読誌を含め複数の論文がありましたので、研究上は旧姓を通称として使うほかありませんでした。給与の書類は戸籍名、授業計画案（シラバス）は「野島（加藤）陽子」といった併記を用いましたが、学生が教師の研究をフォローできないのはおかしいので、シラバスでの併記は大学側も当初から柔軟に認めていたと思います。

また、オープンキャンパスなど大学側の要請で講演する際など、「加藤陽子」名の方が来場者を増やせるので、大学の側も実を取る方向に動いたのでしょう。私の方もなし崩し的に旧姓使用をじわじわと既成事実化する戦法を狙いまして、「通称使用届」などを書面で出した覚えはありません。そもそも何の落ち度もない個人が、一方的に著しく時間と手間を強いられる制度の方が問題なので、悪い制度には誠実に対応しすぎないことが肝心だとの考えで来ました。

私自身は幸運にも姓が変わる不利益を学問上被ることはほぼなかったのですが、女性研究者の場合で深刻なのは、離婚したような場合、離婚した相手の姓を使い続けねばならない場合ですね。あまりにも著名な名前となっては変えがたいという側面があり、非常に悩ましい問題です。

反対派がこだわる「この国のかたち」

――選択的夫婦別姓制度の導入を求める声は多いのに、国の議論はなかなか進みません。

夫婦別姓反対論者が、なぜあれほど別姓を嫌がるのか。その理由の一つは、歴史的な経緯から説明可能です。明治政府が大日本帝国憲法と皇室典範を起草するにあたっては、女帝を容認した案も途中まで準備されていました。実質的に憲法を書いたといえる内閣法制局長官の井上毅《いのうえこわし》が、女系による皇位継承は、天皇の姓が変わること（易姓）を意味するとして強く反対し、結局、明治憲法は女帝を認めず、男系による皇位継承を決定しました。この、姓が変わっては万世一系《ばんせいいっけい》という観念が崩れるとの無意識ゆえの呪縛こそが、別姓を望む他者の選択をも制限すべきだとの意識を支えているように思います。家族制度が崩壊するという理由づけも、「別姓を認めればこの国のかたちが変わる」という、意識せざる危機意識ゆえと見えます。

反対論者を説得して別姓制度を実現するには、婚姻で姓が変わることとの「不便さ」を強調するだけでは不十分だと思うのです。自分で姓を選べない、生まれた時の姓を名乗り続けられないことが、いかに自己決定権や個人の尊厳を奪う深刻な問題であるのか、この点から厳しく論じていかなければ、「この国のかたち」派を論破できない。覚悟が必要な大きな問題だと思います。私自身、女性が自己決定権を持つことの大切さを実感しながら生きてきたので、時間はかかっても、歴史学者として井上の主張を論駁《ろんばく》していきたいと思います。

――近代史を研究する中で、ジェンダーギャップを感じることはありましたか。

「歴史」という言葉は、軍功を重ねることを意味する「歴」と、祭事＝政事の記録を意味する「史」から成立しました。古代ギリシャの歴史家で「歴史の父」と呼ばれたヘロドトスの書いた「歴史」というタイトルの本は、実のところ紀元前5世紀のペルシャ戦争の叙述です。このように私の専門は、本当に古くからの蓄積ある学問領域なので、戦争の語彙《ごい》、男性の語彙が圧倒的に多いのです。大局的な方向性を示す「戦略」といった語彙は日常生活でも無駄に多用されますが、具体的な手段を意味する「戦術」との対比で用いる以外はあまり意味がない。ならばということで、私は「説得の論理」といった言葉を著作では用いています。また、言葉の性差という次元以外でも、日本近代史の歴史叙述の中で女性をいかに描くかという問題は、私にとっていまだに果たせぬ課題です。

「飲み会断ります」

――東京オリンピック・パラリンピック組織委員会の森喜朗前会長の女性蔑視発言はどう受け止めましたか。

許しがたい言葉だと思いました。まず、女性という総称指示（ジェネリックレファレンス）を用いて決めつけている点が問題です。女性を的確な話ができない人、無駄な競争心ゆえに発言を求める人といった女性観は、人類の半数にあたる女性の「個人の尊厳」への冒瀆《ぼうとく》です。

こうした認識に対抗するには、やはり意思決定の場で女性の割合を増やす必要があります。アファーマティブ・アクション（少数・弱者集団の現状に対する積極的な差別是正措置）も必要で、多様なバックボーンのある人たちを集めれば、組織にとっても、想定外の事態に対処する際に多様な英知を得られてメリットは大きいはずです。

自分のライフコースで留意してきたことは、とにかく周到に準備すること。準備し全力を尽くす。関東大震災の際に思想家の大杉栄と共に憲兵隊に殺された、女性解放運動家の伊藤野枝《いとうのえ》がある文章で述べていました。女性は「多くの不覚な違算」に囲まれていると。重要な仕事の前日に子どもが熱を出す、親が倒れるなど、想定外の「違算」に現代に至るまで女性は直面させられています。社会の制度を変えていくと共に、「不覚」をとらない準備も大事かと思います。

でも、女性は男社会に合わせて無理をする必要はないんです。総務省の接待問題で辞任した山田真貴子・前内閣広報官が「飲み会を断らない」と言って話題になっていましたが、私は都合が悪い時は思いっきり断ります。そんなスタンスでいいんじゃないでしょうか。

――昨年は学術会議の任命拒否問題で「渦中の人」になりました。政府は拒否する姿勢を崩していませんが、現状をどう見ていますか。

政府の任命拒否は、法律の改正なしには行えない違法なやり方でした。現政府の決定は覆らないでしょうが、そのプロセスがいかになされたか、内閣法制局と内閣府の文書を精査すれば問題のありかが後にわかるはずです。要は、後継の内閣がこれを先例となしえないようなところまで、政治過程を明らかにしておくことです。

私は先行きを悲観していませんし、へこたれてもいません。複数のメディアの世論調査で、任命拒否についての政府の説明を「不十分」「納得できない」と考える人が5～7割いました。私の元には励ましの手紙が約50通、脅迫の手紙が2通来ています。つまり個人が政権からある意味「弾圧」「批判」された時、民主的な社会でなぜこれが起きたのか、政権の意図は何なのかを、知りたいと考える人は少なくないということです。私はこの国民世論のまっとうさに信を置きたいと思います。

（2021年3月12日）

〈追記〉文中、「任命拒否についての政府の説明を『不十分』『納得できない』と考える人が5～7割いました」と書いた根拠は、以下のようなマスコミ各社の世論調査（2020年）にあった。

①「毎日新聞」（11月7日）任命拒否は「問題だ」37％
②「読売新聞」（11月6〜8日）学術会議問題、首相の説明は「納得できない」56％
③ＮＨＫ（11月6〜8日）学術会議、菅総理の説明は十分か、「十分ではない」62％
④時事通信（11月6〜9日）学術会議、首相説明は、「十分ではない」63・4％
⑤共同通信（11月14、15日）学術会議、首相の説明は、「不十分」69・6％

自己への揺るぎない評価軸を得るための二つの途

新型コロナウイルスの宿主であるヒトがまず街角から消え、ガンジスの水は澄み、公園の新緑も輝きを増した。だが国境で画された社会に生きる人の心は、不安と悩ましさで一杯になっている。

２０２０年３月末、緊急事態宣言が東京で出されるとのうわさが駆けめぐった頃、ニューヨークの惨状が２週間後の東京だとする言説も現れた。韓国のＰＣＲ検査数や台湾のＩＴを駆使したマスク供給術を称《たた》え、日本の国力衰退を嘆く話法も定番となった。このような見方に対し、韓国や台湾との制度（徴兵制や住民登録証）的差異を確認しつつ、人口10万人当たりの死者数が極めて低く抑えられている日本の現状を指摘するのは、強い精神力を必要とする。不安と理性の間で考えをめぐらせば、神なき国の近代化を進めた日本、そこに住む人々は、自国や自国民に対する確固とした評価軸を持たずに来てしまったのではないかとの疑念にたどり着く。ならば、揺るぎない自らの評価軸を手に入れるにはどうすればよいのだろうか。

答えは二つある。その一つは歴史が教えてくれそうだ。太平洋戦争の最終盤にあっても優れた観察眼を失わなかった外交評論家の清沢洌《きよさわきよし》。1945（昭和20）年元日、清沢は日記にこう記した。「日本で最大の不自由は、国際問題において、対手《あいて》の立場を説明することができない一事だ。日本には自分の立場しかない」。他者を公正に見ない社会では、自らの立ち位置もまた見えなくなる。究極の他者たる敵国の行動を理解し、いわば相手になりきらねばならない時、当時の政府がやっていたのは自国民への情報統制だった。

戦前期の首相・近衛文麿《このえふみまろ》の名はご存じだろう。その周囲にはソ連赤軍のスパイ、ゾルゲの諜報網《ちょうほうもう》があった。この事件の史料を遺《のこ》した司法省刑事局の課長・太田耐造《たいぞう》は、お隣の官庁、内務省警保局の検閲史料も遺してくれた。1941年7月26日付のある文書は、外電（外国の通信社によるニュース）の扱いをこう命じていた。掲載の際には紙面下部に小さく載せ、それが日本に不利な情報なら「之《これ》を反駁《はんばく》する記事を外電取扱より大きく別項に」載せよと。

外国の情報を正確に国民に伝えない日本のお家芸は今回のコロナ禍でも随所で見られた。武漢封鎖時の中国が体育館などを軽症者向け施設とした時、その方策が未知の感染症対策の王道、つまり重症者向け病床確保のための出口戦略だとして注目し、説明した報道はあったただろうか。初動ミスをカバーするための中国らしい人海戦術だと軽く見ていたのではないか。他者を公正に理解する態度、これが一つ目の答えとなる。

ならば二つ目の秘訣《ひけつ》は何か。一つ目に比べ、やや普遍性を欠く答えかもしれないが、非常時といった同調圧力の強い社会に生きる際に役立つ基軸だ。それは、自然権というもの、個人の自由権というもの、いわゆる天賦人権論に信を置く態度といえようか。これも清沢が日記に記した光景から始めたい。1944年3月の講演旅行中の北海道、浦河―苫小牧間の列車に挺身隊《ていしんたい》（女子の勤労奉仕組織）が乗ってきたが、その隊長はこう演説したという。「大西洋憲章というものをチャーチルとローズヴェルトが作ったが日本人を皆殺しにすると決議した。男も女も殺してしまうのだと声明した。きゃつ等《ら》に殺されてなるものか」（清沢洌、橋川文三編『暗黒日記　2』ちくま学芸文庫）。1941年8月の大西洋憲章は進行中の第二次大戦終結後の構想を述べたものであり、もちろん皆殺しなどの言葉はない。侵略国の武装解除について述べた第8項を隊長は「自分の立場」で解釈し、軍隊の武装解除と皆殺しを等号で結び、同胞を叱咤《しった》したのだろう。

だが皆殺しのコスト、報復の連鎖を思えば、このような戦後構想は信じがたい。こうした脅しが効くのは、紀元前5世紀のペロポネソス戦争など往時に限られよう。特高警察が摑《つか》んでいた戦争末期の農民の「常識」の方が正しかった。敵軍が上陸しても食糧は必要だから作り手を殺しはしないだろうと農民は泰然としていた。

最後に、非常時の空気がいかに人の理性を縛るか、それを広島で敗戦を迎えた丸山眞男の感慨から見ておきたい。丸山はポツダム宣言第10項の「基本的人権の尊重は確立せらるべし」を読んで戦慄《せんりつ》した。基本的人権という発想自体、戦時中には丸山の周囲でさえ乏しかったのだ。丸山は気づく、この戦慄には覚えがあると。それは1935年に尾崎行雄が東京大学で行った演説を聞いての衝撃を思い起こさせた。個人の私有財産は、天皇といえども法律によらなければ一指も触れることができない、これが憲法の趣旨だと尾崎は述べていた（松沢弘陽・植手通有編『丸山眞男回顧談』上巻、岩波書店）。尾崎の精神の軸は、自然権、自由権への強い確信から来ていた。今こそ重要な基軸ではないか。

（2020年5月16日）

新型コロナ対策の検証には議事録が不可欠

失敗を繰り返さないために

首相官邸のホームページをお気に入りに登録して毎日見ている方はまれだろう。2020年6月7日政府は、世論の多くが求めていた、新型コロナウイルス感染症対策専門家会議（以下、専門家会議）の議事録作成を行わず、発言者を明記した議事概要のみで対応すると発表した。そうなるとかえって、官邸のページに載っている専門家会議の議事概要と資料を毎朝確認しに行きたくもなる。

政府は専門家会議を、行政文書管理ガイドラインが規定する「政策の決定又《また》は了解を行わない会議等」に当たるとの理由で、発言者とその発言内容を速記録から起こした議事録を不要とした。だが同年4月7日、政府が発した緊急事態宣言の科学的根拠を提供したのは専門家会議であり、また国と都道府県による国民生活全般への厳しい活動制限指針に正当性を与えたのも専門家会議の知見であった。まして政府は、今回の新型コロナをめぐる事態を、記録の作成が最優先でなされるべき「歴史的緊急事態」だと3月10日の閣議了解で確認している。今からでも、議事録を作ってはどうか。

ただ、議事概要を読むだけでも発見はある。2月24日の第3回会議で専門家側は「専門家と行政側がブレーンストーミングできるような場」の設置を求めていた。専門家会議の知見を政治・行政の側が政策へと結実させる、その過程を確認する場を求めたものであり、当然の要求といえよう。対して、政府の側はいかに回答したのか。この応答の記録などまず明らかにされてしかるべきだ。

議事概要ではなく議事録こそが大事であることを歴史的な事例から見ておきたい。公文書管理法は行政文書を、職務上作成または取得され、組織で共有された文書と定義した。よって宮内公文書館が保有してきた戦前期の宮内省時代の重要会議の議事録が公開の運びとなったのである。その一つが1928（昭和3）年に京都で行われた昭和天皇の即位の大礼をめぐる大礼使評議会の議事録（「大臣官房秘書課　大礼関係録　大礼使評議会議事録」）だった。

評議会では大礼の参列者2000人の枠をどう分配するかが議論された。2019年10月の即位礼正殿の儀の参列者を決める議事録が突然目の前に現れる情景をご想像いただけば、この議事録の歴史的な重みが伝わるか。皇族・重臣・大使などを選んでいくと残数は700人ほどとなる。あとは高級官僚の総代に各省総員の2割を選んで終了かと思いつつ読んでいると意外な発言に出くわす。国民の総代になれるのは衆議院議員なのだから、全議員を参列させるべきだと主張した人物がいたのである。

時は政友会を単独与党とした田中義一内閣。その人物とは政友会の党人政治家にして法制局長官の前田米蔵だった。結果的に全議員の参列は無理だったが、新例として衆議院議員の参列が許可されることとなった。改めて気づかされたのは、大正の大礼時には、いまだ議員の参列が認められていなかった事実だ。初の男子普通選挙法によって選出された議員らを、国家はここで初めて即位の儀礼に参加させたことになる。

同時期の議事録をもう一つ見ておきたい。昭和天皇が即位式で読み上げる勅語（お言葉）を作成した委員会の議事録（白根官房庶務課長「極秘　昭和三年　勅語寿詞《よごと》起草委員会議事録」）だ。こちらは国立公文書館の所蔵。この時、大礼使長官に任じられていた若手貴族のホープ近衛文麿は、専門家が作成した勅語の原案に対し、「教訓が余り多過ぎ」だと率直な批判を加えていた。また若手の宮内次官であった関屋貞三郎も、「侵略的自国本位」といった批判を受けないような形式で、「国運の進展を計ると共に、万国の利益進歩に尽力する」との決意表明の言葉を勅語に入れるべきだと主張していた。

実際、近衛と関屋の要望は勅語に反映されたのだ。大正の時には「皇運を扶翼《ふよく》」や「国光を顕揚《けんよう》」といった表現が入っていたが、昭和の時にあたっては「世界の平和」や「人類の福祉」といった易しい表現が勅語に用いられた。こうして見てくると、議事録の重要性の一つは、先の前田米蔵の例からもわかるように、歴史を国民の利益の側に1ミリでも進めた人間が誰であるか、またその事績の内容が後世に正確に伝えられる点にある。国家の儀式に誰を招くのか、時代ごとの選抜の意図も後世の検証に堪えて残るはず。

もう一つの重要性は、発言がなされた文脈をたどれるので、政策決定に与えたその発言の意義を正確に計量できる点にある。先の関屋の発言は、枢密院書記官長の二上兵治《ふたがみひょうじ》の発言の後になされていた。二上の主張は、「義勇奉公の精神」が衰えた今、それを勅語に入れたいというもの。関屋が反論してくれてよかったと後世の人間として思う。記録を残さず国民への説明責任を果たさぬ国。その歴史を誰が書けるのだろうか。

（2020年6月20日）

国民世論が検察に立ち向かった時

50年に1度の規模の大災害が、語義矛盾ではあるが毎年起こるようになった。以前の梅雨は、酷暑の夏を前にして静かに雨が降る心休まる季節だった。活発なまま停滞する梅雨前線の異常さにおびえつつ、昔の人の天災への向き合い方などに思いをめぐらせた。

鎌倉幕府第三代将軍の源実朝《みなもとのさねとも》は、「金槐《きんかい》和歌集」の詠み手としても知られる。その一首「時により　すぐれば　民の嘆きなり　八大竜王　雨やめ給へ」をご存じだろうか。1211（建暦元）年7月の洪水に際して詠まれたと詞書《ことばがき》にはある。だが、この時期の和歌を研究する渡部泰明・東京大学教授（現在は国文学研究資料館長）によれば、この年に洪水の記録はないという。ならばこの歌はなぜ詠まれたのか。

実朝はこの頃、中国の帝王学の書「貞観政要《じょうがんせいよう》」を読んでいた。そこで知った治者としての心得に加え、同時代の順徳天皇が著した有職《ゆうそく》故実《こじつ》の書「禁秘抄《きんぴしょう》」中の日照りの際の祈りの詞「雨たべ海竜王」から受けた刺激が、この歌を詠ませたというのが渡部教授の謎解きだ。「雨たべ」とは雨を降らせたまえという意味。日照りとなれば天皇が雨の神に祈り、洪水を想定しては将軍が同種の神に祈りもする。人々の嘆きを、強い祈りの言葉へと変換させるのが、権威と権力、双方の長の務めだった。

近代になって国民国家の制度が整うと、災厄に対する為政者の対応は、主権者たる国民からの信託を受けているがゆえに、厳しい批判にさらされもする。コロナ禍で痛手を負った人々が切実に欲した給付金一つをとっても、迅速に配布できなかった政府への不満は高く、内閣支持率も大きく下げた。

注目すべきは、コロナ対応の拙《つたな》さに加えて、支持率を下げた要因の一つが検察庁法改正問題だったことである。必ずしも生活に密着しない本問題に対して、著名人や広範な人々によるツイッターデモが起こり、政府は改正断念へと追いこまれた。むろん、次の検事総長候補と目されていた黒川弘務・元東京高等検察庁検事長自身による、緊急事態下での賭けマージャン報道を受けての辞職が決定打となったのだが。

人々はなぜこの問題に迅速に反応したのだろうか。まず、政権絡みの案件で不起訴が続くことへのいら立ちがあった。次に、検察の持つ特異な権限が「正義」のイメージと結びつきやすい点などがあったと思われる。検察官は、起訴、不起訴の決定権を独占的に持つだけでなく、捜査権をも持ち、それは政財界の不正事犯にも及ぶ。強い権限を持つ組織のトップが、政治の干渉下にあってはマズイ、とは肌感覚でもわかる。さらに、ロッキード事件時に名をはせた松尾邦弘・元検事総長らが発表した反対意見書には、「検察官の人事に政治は介入しないという確立した慣例」が破壊されることへの強い危機感が表明されていた。検察の独立、政治からの独立を是とする検察の立場は、現在は国民の支持を獲得できているといえよう。

だが、国民が常に検察を支持してきたわけではないことを歴史的に見ておきたい。後の歴史に照らせば、検察の論告求刑が正当だったにもかかわらず、国民感情がそれを許さず、判決にも政治的な圧力が加えられた事例があった。それが5・15事件の裁判だった。

1932(昭和7)年の5・15事件は、古賀清志ら海軍青年将校、陸軍士官学校生徒、農民決死隊らによるクーデターで、犬養毅《いぬかいつよし》首相が官邸で殺害され、従来の慣習的2大政党制もついえた事件である。

海軍側被告を裁いた軍法会議の検察官が海軍法務官の山本孝治だった。1933年9月の論告で山本は、伊藤博文の「憲法義解」の一節に加え、「軍人勅諭」中の最重要部分、すなわち、軍人は「世論に惑わず、政治に拘《かかわ》らず」を読み上げ、いかなる理由があろうとも軍人の政治干与は不可だと断じて、古賀ら3人に死刑を求刑した。

これが世に伝わると、「法廷劇」を連日報道していた新聞はますます活性化し、将校の同期生や広範な人々は減刑嘆願運動に邁進《まいしん》した。嘆願書の数は70万通に及んだという（小山俊樹『五・一五事件』中公新書）。陸軍側の公判では、検察官と裁判官双方が士官学校生徒の動機に理解を示す始末。国防に任ずる軍人なら、現代社会の政治について無関心でいてよいはずがないとして、「軍人勅諭」の戒めを自ら踏み破ってしまっていた。

清瀬一郎ら名士を揃《そろ》えた海軍弁護団も、国民を苦しめる経済恐慌と農村不況を招いたのは、政党の堕落と財閥の強欲のせいだと名指しし、青年将校らは国家の緊急事態に対処するため決起したに過ぎないと論じた。巧みな「正義」の表象ぶりに裁判官も国民も心酔し、判決も重いもので禁錮15年にとどまった。この後の、2・26事件などのテロや対外戦争を思えば、軍人の政治不干与を求めた山本孝治検察官の論告求刑の真正さが際立つ。記憶に留めたい。

（2020年7月18日）

科学技術政策の適正な舵取りを求めて

科学はボトムアップから

新型コロナウイルス禍に加え、憂鬱の種が尽きないこのご時世に、冴《さ》えた夜空を見上げるのは一興だ。２０２０年12月６日未明、地球へ戻る「はやぶさ２」のカプセルがオーストラリア上空を火球となって飛ぶのを同時中継で見たのは至福の時だった。一方の地上世界では同月12日、防衛省が三菱重工業と契約している次期戦闘機開発で、ロッキード社の技術支援を受けるとの報道がなされた。

かたや小惑星探査機、かたやＦ２戦闘機の後継機だが、両者には意外にも共通点がある。第一に、両者共に科学・技術の結晶だという点。第二に、長期的に巨額の予算を費消する大型計画である点だ。ただ、「はやぶさ２」計画と戦闘機開発には、当然のことながら大きな違いがある。計画に着手する前、学術的見地と一般的社会的見地の双方から、計画の社会的正当性について、審査・評価を受けたかどうかだ。

国防分野特有の困難さはあろうが、巨額の国費が投入される以上、計画の着手には、専門家や科学者らによる、恣意《しい》性のないエビデンス（根拠）に基づく精査が不可欠だ。それを欠いた過去の例として、１９３７年11月起工で１９４１年12月に竣工《しゅんこう》し、１９４５年４月に沖縄特攻で海に沈んだ戦艦大和がある。

本稿を書いていた２０２０年12月15日、自民党のプロジェクトチーム（ＰＴ）による日本学術会議改革の提言が菅義偉首相に提出された。任命拒否問題発覚からの時間の早さを考えれば、学術会議に手を入れるのが首相と自民党の一部にとっての本丸だったと考えられる。

国会や記者会見の場で菅首相は、学術会議の問題点をこう述べていた。いわく、旧帝大に偏る、地方出身者・民間人・若手が少ない、閉鎖的で既得権のよう、前例踏襲でよくない等々。支離滅裂と批判するのは簡単だが、私が注目したいのは、このような学術会議像を首相はどこで得たのかという点だ。内閣官房長官時代を含め、首相が学術会議を認識しうる場は限られる。内閣府には五つの重要政策会議があるが、首相と学術会議会長が同席する会議は、総合科学技術・イノベーション会議（以下、科技会議）だけだ。

科技会議は、首相を含む閣僚７人、民間有識者議員（以下、議員）７人、学術会議会長からなる。科学技術政策を策定して予算措置につなげる権限を持つ。科技会議は今、2021年春開始の第6期科学技術基本計画の仕上げに忙しい。議員のうち3人は、2020年11月9日、井上信治・科学技術担当相の学術会議視察に同道していた。

この議員らの見解をたどれば、首相の学術会議観に行き着くのではないか。そう考えて、唯一の常勤議員であり関連諸会議の座長も務める上山隆大《うえやまたかひろ》氏の思考様式をたどってみた。あるインタビューで上山氏はこう答えている。エリート大に研究資金が一極集中し、地方大学は疲弊していると。旧帝大への偏り、地方云々《うんぬん》を言う首相の発言と響き合う。

科技会議には、科学技術政策の決定に唯一力を持つべきなのは自らだとの自負があろう。そして、科学者の意見をボトムアップ式に集約し、政策提言を行う学術会議の存在意義を問いたいのだろう。事実、自民党PTを主導した下村博文政調会長は、本紙に以下の通り答えていた（2020年11月10日付ニュースサイト）。学術会議の代表が科技会議に必ず出てきて意見を反映させる仕組みは見直すべきだと。さらに下村氏は、大型研究計画のマスタープランを決定する学術会議の力を過大だとし、事実上4000億円の予算を決めていると問題視した。

ここから推測できるのは、科技会議や自民党PTの狙いは、学術会議を国の特別な機関から独立の法人格へ転換させるといった、世上の注目を集めた点のみならず、科学技術行政全般における学術会議の役割の再定義だということだ。２００３年時点の科技会議の提言でも既に述べられていたが、科技会議の所掌《しょしょう》事務と重複する事項や利害関係が生じる具体的事項については、学術会議は提言を避けるべきだと要請していた。

科技会議の上山氏や下村氏らには、国が重点分野を決める、選択と集中による科学技術政策が一番だとの考えがあるのだろう。一方、歴代の学術会議会長らは、科学者コミュニティーがいかなる分野を有望だとみなしているのかを国が理解し、そこに予算をつけてほしいとの考えに立ってきた。トップダウン型の競争的研究資金も大事だが、ボトムアップ型で生まれる自由な研究を支える基盤的研究資金も大事で、そのバランスが肝心だと訴えてきた。

今起きているのは、政治の側が科学の側に、科学技術の伸長方法をめぐり原理的対決を迫る事態だ。その先で、戦艦大和の愚策と「悲劇」が繰り返されることなぞあってはならない。

（２０２０年12月19日）

政治の姿勢を歴史に刻むため、「実」より「名」を取る

説明なしの任命拒否、その事実と経緯を後世に残すために

編集部注：日本学術会議の会員候補として推薦されながら、菅義偉首相に任命されなかった６人の研究者のうち５人が２０２１年４月、学術会議の「連携会員」「特任連携会員」として活動に参加することになった。最後の１人となった加藤陽子氏にも学術会議執行部が「特任連携会員」への就任の意向の有無を尋ねたが、任命拒否問題が解決していないまま「特任連携会員」になるつもりはないと返答。「特任連携会員」になることをなぜ希望しなかったのか、毎日新聞の取材に対しコメントを寄せた。

人文社会系の第１部の会員の方々と共に、学術会議として望ましい運営をお手伝いするのは、特任連携会員になることのメリットであり、また学術第一に考えれば、そのような

かたちで微力を尽くすことが最善であることは理解しております。特に3人の、まことに力のある専門家の方々を欠いた第1部の法学関係の皆様の苦境を思うと、特任連携会員として、お務めを果たそうとするお考えを持つ方が現れるのは本当によく理解できます。

ただ、幸いに歴史系で任命されなかったのは当方1人であるということを考え、また、多くの優れた歴史系の会員が奮闘されている現状に鑑み、当方としては、やはり今回の菅内閣の、十分な説明なしの任命拒否、また一度下した決定をいかなる理由があっても覆そうとしない態度に対し、その事実と経緯を歴史に刻むために、「実」を取ることはせず、「名」を取りたいと思った次第です。

（2021年4月7日）

危機の時代に必須の政治指導者の資質とは

この欄（「加藤陽子の近代史の扉」）を担当して1年になる。最初に書いた原稿では、100年前のスペイン風邪の記憶がなぜ日本社会に根付かなかったかを考えた。1918年から1920年にかけて40万人超の死者が出た衝撃を私たちは忘れていた。ありうる理由の一つは、人間の時間感覚とウイルスが変異する時間の著しい差異だ。哺乳類ならば100万年かかるような変化をウイルスはたった1年でやりとげる（速水融『日本を襲ったスペイン・インフルエンザ』藤原書店）。人間の記憶媒体に、急拡大しては去ってゆくウイルスの脅威を刻むのは至難の業といえようか。

何回かの新型コロナウイルス感染拡大の波を経た目で振り返れば、100年前の惨禍が忘れられた理由として、もう一つの答えが浮かぶ。スペイン風邪の惨禍と比べて、より深刻な出来事がほぼ同時代に起き、私たちの父祖の記憶が、いわば上書きされてしまったとの見立てだ。今回はこの観点を糸口に考えてみたい。

スペイン風邪より深刻な出来事とは、1914年から1918年までの第一次世界大戦をおいて他にない。そもそも世界的大流行は、参戦各国の将兵らの動員と帰還、復員によって起こされた。1920年6月に死去したドイツの社会科学者マックス・ウェーバーの死因はスペイン風邪だといわれている。よって、まずはウェーバーに焦点を当て、戦時下のドイツ社会の苦難とウェーバーの戦時評論を見ておきたい。

短期決戦に失敗したドイツは英海軍による海上封鎖により、1916年冬には深刻な食糧不足に陥った。女性と子どもを中心とする餓死者が76万人余に達したとの統計もある（藤原辰史《ふじはらたつし》『カブラの冬』人文書院）。政治とは国家の指導に影響を与えようとする行為、国家とは物理的な暴力行使の独占を要求する主体、と明快に定義を下したウェーバー。その彼は祖国の惨状を前に何を論じていたのだろうか。

ウェーバーは、1916年3月、政府が計画していた潜水艦作戦強化方針を批判する意見書を要路者に送った。無制限潜水艦攻撃によって早期講和が期待できるのは次の三つの場合のみだと論じた。すなわち、米国が参戦してこない場合、参戦してもドイツ側に重圧がかからない場合、英国が先に降伏する場合。だが全て不可能な前提であり、戦争は必ず長期化する。無謀な攻撃がなされたが最後、直ちに米国は参戦し、ドイツの敵国・英仏側は「物質的にも道徳的にも、実際にいつまでも戦争を続行することができるようになる」（山田高生訳「潜水艦作戦の強化」、マックス・ヴェーバー『政治論集Ⅰ』みすず書房）と論じ、祖国の運命を暗く予想した。現実はウェーバーの危惧通りとなり、1917年4月に米国が参戦、ドイツの敗北はここに決した。

この意見書には、危機の時代に必須とされる政治指導者の資質も書かれていて興味深い。それは、最高度の慎重さでなされた計算を根拠に決断を下す能力であり、計算の基礎と方法の正しさについて証明できる能力である。政治指導者がこの資質を欠けば、戦時の経済的崩壊と戦後の経済的断末魔は避けがたく、いくら軍隊が勇敢でも挽回はできないと警告した。戦時のドイツが象徴的な各国の苦難とそれが与えた衝撃を知れば、スペイン風邪の惨禍が、記憶の後景に退いたことは理解できる。

農業思想史が専門の藤原辰史氏によれば、当時の日本外務省は英国による海上封鎖を「餓死的降伏」を目的とする経済戦と捉えたという。資源小国日本の明日の姿と見て震撼《しんかん》したのだろう。大戦のさまを観察した日本はこれ以降、長期消耗戦をいかに避けるかを全力で検討し始めた。

この日本に、冷静な計算をもって対抗した政治指導者の一人に、満州事変時に中国国民政府主席だった蔣介石がいた。日本軍が華北分離工作を進めていた1934年1月4日、蔣は、日本と対抗するためソ連を巻き込む長期戦構想を日記に記していた。敵が恐れるものは我々が最も歓迎すべきであり、敵が急ぎたいものは我々が遅延すべきものである、との言葉と共に。

現実の日中戦争は1937年に勃発するが、1934年段階から準備を始めた蔣の対日戦プランは、慎重な計算を元になされた決断の結晶といえた。日中戦争は必ず列国の干渉を招く。その理由は戦争の過程で必ず日本側が列国の在華権益を侵害するからだ。東洋の盟主を目指し、西太平洋の覇権を目指す日本であれば、ソ連の陸軍力と米国の海軍力と対決せざるをえなくなる。よって日本の最大の弱点は国際関係であり、中国の最大の利点も国際関係にありと見ていた。

第一次世界大戦の教訓として、長期消耗戦を絶対に避けたいと願った日本。だが現実は、長期消耗戦を強いられた。慎重な計算を元に決断を下す政治指導者の不在がその理由だったとすれば、これは過去だけの話ではない。

（2021年4月17日）

学術会議問題の政治過程
世論が政府の姿勢を「変えた」

２０２１年6月15日の衆議院本会議で、枝野幸男・立憲民主党代表が内閣不信任決議案の趣旨説明を行った。否決前提の演説は、実のところ、野党側の所信表明のような役割を果たす。演説を聞いていて驚いたのは、幾多の政権構想中の1項目ではあったが、日本学術会議問題で菅義偉首相が任命を拒否した6人を任命し直すと述べた部分である。

早速、昔の友人から連絡が来た。「14万筆超の署名も１０００を超える学会声明も、結局何も変えられなかったね。まだこの問題やっていたんだ」。よほど（任命を拒否された一人である）私は打たれ強く見えるのだろう。平気でこう書いてくる。ただ、世の多数派の見方を教えてくれるのは助かる。今回は、２０２０年10月から２０２１年6月現在までの学術会議問題の政治過程をまとめ、友人への答えとしたい。

「行動したのに何も変わらなかった」との嘆きは昔も今もある。だが多くの場合、「何も」

の部分の考察不足が問題だ。社会運動と政治的帰結の因果関係は意外にわかりにくい。一つ確実な例を挙げておこう。1960年の日米安全保障条約改定の一件だ。広範な反対運動にいわば「譲歩」して、改定条約に第2条（経済条項）が新設された。日米両国が、政治経済社会の各分野で自由主義の立場から緊密な連携をするとの趣旨を書き込んだことで、国内外の緊張が緩和された。

そこで次に、学術会議問題をめぐる諸政治主体の動きを、自民党の動き、予算・人員、組織論の3項目を軸に跡づけてみたい。最初に動いたのは下村博文・自民党政調会長だ。2020年10月14日に学術会議の在り方を検討するプロジェクトチーム（PT）を党内に立ち上げた。下村氏の主張をまとめると、①学術会議の「軍事的安全保障研究に関する声明」（2017年）が問題、②学術会議は国の機関から外れるべきだ、③学術会議が大型施設計画・大規模研究計画を審議するのは問題——の3点となる。だが、12月9日のPTの提言は、②のみが書き込まれるにとどまった。

次に動いたのは河野太郎・行政改革担当相だった。10月下旬の各紙は河野氏が学術会議事務局費の大幅削減に意欲的だとし、「秋の行政事業レビュー」の対象とすると報じた。だが実際には対象とならず、12月21日、前年並み予算が組まれて終わった。

第三に、組織の在り方をめぐる攻防はいかなる経過をたどったのか。学術会議側は井上信治・科学技術担当相と折衝を続け、２０２１年4月「日本学術会議のより良い役割発揮に向けて」と題する検討結果を総会で議決した。これを受けて、今後の検討は、総合科学技術・イノベーション会議の有識者議員８人（梶田隆章・学術会議会長を含む）に委ねられ、月１回の期限を切らない検討が同年5月から始まっている。

任命拒否の件で口火を切って以降、政府与党は息もつかせぬ勢いで3方向から学術会議を俎上《そじょう》に載せた。学術会議側はこれに正攻法で応じ、よくしのいだ。発足時は64％（２０２０年9月17日の毎日新聞調査）あった内閣支持率がすぐ落ちた一因は、任命拒否問題だったことは、記憶されてよい。さらに署名や声明の形でも明示された世論が、政府の姿勢を「変えた」といえるのではないか。

先の友人はこうも言う。任命拒否は就職活動と同じで人事問題だから理由を説明できない、と。だがこれも違う。会員選定の方法は日本学術会議法第7条2項で決まっている。本法は、首相の任命権を１９８３年国会の中曽根康弘内閣の答弁（首相ができるのは学術会議側からの推薦者に対する形式的任命）の線で解釈されてきた。だが今回政府は、形式的に追認するだけでなく場合により拒絶しうる、との新解釈を立てた。

根拠とされた憲法第15条1項「公務員を選定し、及びこれを罷免することは、国民固有の権利である」は、かつて、ある大学の評議会が推薦した学長候補を、例外的に文相が任命しなかった事案を説明するのに、1969年当時の高辻正己・内閣法制局長官が用いたものだ。だが、小西洋之参議院議員が発見した法制局の文書（国立公文書館蔵）によれば、学術会議の人選について、この高辻発言を根拠とした政治介入の余地がない点については、1983年段階で確認済みだったという。以上は憲法学の木村草太・東京都立大学教授の知見を参考にした。

次の段階の議論へと進もう。時に行政府が解釈を変更することもありうる。だがその場合、変更を必要とする情勢の変化について、立法府での説明が必須となる。この間の政府にとって、科学技術・イノベーション基本法の成立という日本の学術にとっての大きな変化が喫緊の課題だった。こうした重要な時期に学術会議の会員選考方法を変えた意味は重い。立法府がその妥当性を議論するのは国民の負託に応えるための責務である。

（2021年6月19日）

第2章

震災の教訓

東日本大震災10年を経て

原発を「許容していた」私

日本人あるいは日本に住む人々にとって、この時刻に何をしていたかについては、これから何度も問い返され、何度も記憶に再生されることとなろう。

東京都文京区に住まいのある私は、その時、マンション中庭の草花に水をやっていた。しおれ気味の花々に、数日間水やりを怠ったことをわびつつ水をやっていると、自分の視界が、突然、横に引っ張られる感じがした。これから会議が一つあるのに目眩《めまい》とは困ったことだと思った数秒後、地震だと気づいた。水道栓を閉め、ころがるように部屋に戻るまで、この間5分。

それ以来、何をしていれば心が休まるかといえば、中庭で水をやることなのだ。あの時、水やりをしていた自分。依然として生きている自分。その単純な関連を、身体が勝手に何度も確認したがっていたようだ。震度5強とはいえ、ほぼ被害のなかった地域において、こうだ。被災された人々の心と身体を思えば暗澹《あんたん》たる気持ちになる。
地震と津波の直後には、東京電力福島第一原子力発電所の複数の炉が制御不能となった。テレビは、首相官邸、原子力安全・保安院、東京電力等による記者会見の模様や現場の状況を臨戦態勢で報じていた。映像を見ながら私の頭に浮かんだのは、奇妙にも次に引く大岡昇平の言葉だった。

(昭和)十九年に積み出された時、どうせ殺される命なら、どうして戦争をやめさせることにそれをかけられなかったかという反省が頭をかすめた、(中略)この軍隊を自分が許容しているんだから、その前提に立っていうのでなければならない。

『俘虜記』『レイテ戦記』あるいは『花影』で知られた大岡が、自らの戦争体験を語った『戦争』(岩波現代文庫)の一節である。1944年7月、大岡は第14軍の補充要員(暗号手)として山口県・門司港からフィリピンへ向けて出発する。
輸送船に乗せられた時、自分は死ぬという明白な自覚が大岡を貫いた。これまで自分は、軍部のやり方を冷眼視しつつ、戦争に関する知識を蓄積することで自ら慰めてきたが、それらは、死を前にした時、何の役にも立たないとわかった。自ら戦争を防ぐという行動に出なければならなかったのにもかかわらず、自分はそれをしなかった、こう大岡は静かに考える。

よって、戦争や軍隊について自分が書く時には、自分がそれらを「許容してい」たという、率直な感慨を前提として書かねばならない、と大岡は理解する。その成果が『レイテ戦記』にほかならない。この大岡の自戒は、同時代の歴史を「引き受ける」感覚、軍部の暴走を許容したのは、自分であり国民それ自体なのだという洞察だろう。

以上の文章の、戦争や軍部という部分を、原子力発電という言葉に読み替えていただければ、私の言わんとすることがご理解いただけるだろう。

原発を地球温暖化対策の切り札とする考えは、説得的に響いた。また、鉄道などと共に原発は、パッケージ型インフラの海外展開戦略の柱であり、政府の策定にかかる新成長戦略の一環でもあった。生活面でも「オール電化」は、火事とは無縁の安全なものとして語られていた。これらの事実を忘れてはならない。私は「許容していた」。

敗戦の総括については自力では行えなかった日本。ならば、せめて今回の事故について、同じ過ちを繰り返したくはない。政府に求めたいのは、事故発生直後からの記録を完全なかたちで残し、その一次史料を、第三者からなる外部の調査委員会に委ねてほしいということだ。

公文書管理法は、現在、内閣府の公文書管理委員会において、施行令・各府省文書管理規則等の審議を経て、２０１１年４月から施行予定となっている。

枝野幸男官房長官は鳩山由紀夫内閣期、内閣府特命担当大臣として行政刷新の一環としての公文書管理を担当された方である。復興庁を創設するのならば、まさに、震災・事故関係記録の集中保存から入っていただきたい。これが、亡くなった方を忘れない、最も有効な方法だと信ずる。

（２０１１年３月26日）

震災と責任の丸投げ
立憲的に動けぬ国家よ

陽光に照らされた木々の緑が美しい。日本の津々浦々に最も美しい季節が訪れようとしている。2011年3月11日以来、被災者の救護や原発事故の沈静化に不眠不休であたってきた方々には、どうか、季節の恩恵を顔に受け、体と心の極度の緊張を解いていただきたいと切に願う。

事物との距離をとり、対象を相対化すること。歴史を学ぶ者の鉄則だろう。だが私には、被災地の辛苦を動画で冷静に見ることがいまだにできない。ならば、ということで私の目は、大震災直後からの新聞の切り抜きや緊急増刊された雑誌の報道へと向かう。

掲載紙（「毎日新聞」）に甘い発言と見られたくないが、多くの雑誌の中で、たしかに『サンデー毎日緊急増刊　東日本大震災』（2011年4月2日号）は、報道写真として歴史に残る仕事をしたと思われた。撮影者、撮影場所と共に、撮影の日時が分の単位まで記載された写真集である。地震発生の1時間後には、津波が襲った宮城県岩沼市や仙台新港をヘリから撮影していた手塚耕一郎氏。その手塚氏によって、2011年3月12日午前8時16分に撮影された宮城県気仙沼市の鹿折《ししおり》地区の1枚の写真。地震で破壊され、津波で流され、火で焼かれた、車とスレート屋根の残骸が、早朝の靄《もや》と余燼《よじん》の中一面に横たわる。静止した画像ゆえに、大災害の暴虐の力のありか、大災害の特質を凝縮して提示しえた。

新聞記事の切り抜きをまとめて読んでいて、新たに気づかされたこともあった。震災への対応で、最も高く評価されるべきことの一つが、個々の自治体首長らによる、集落単位の避難の受け入れ表明とその実行だったことは疑いない。1995年の阪神・淡路大震災の際、あるいは2004年の新潟県中越地震の際などに、全国から受けた支援への恩返しといったかたちでの申し出が多かった。

その一方で、問題を残した事例もあった。原発事故による放射線被害を避けるためなど、個人の発意や判断により、早期に自主避難した人々に対し、彼らが元来属していた市役所や町村役場などは、十分な情報提供や支援をなしえなかった。むろん、役場自体が避難を余儀なくされた現状を考慮すれば、その対応を責めることはできない。だが、報じられたところでは、仮設住宅への応募、義捐《ぎえん》金配分などへの申請、児童・生徒の転校先のあっせんなど、各種の公的なサービス供与という点で、自らの判断で避難した人々への不利益・不公平はあったという。また、福島県南相馬市の事例が詳細に報じられたが、公的避難所の人々には配布された支援物資が、自宅にとどまった屋内退避者には当初、十分には配布されなかった事実もある。市への郵便や燃料の配達も止められた。

成功の事例と問題を残した事例。共に住民に向き合ったのは、住民の生活に関与してきた市町村の首長であり、役場であり、地域の指導層であった点で変わりはない。成否を分けたのは、国が責任をもって関与すべき問題群を、国が地方公共団体の現場に丸投げした点にこそある。

では、国が積極的になすべき問題群とは何だったのか。長谷部恭男・東京大学教授の『憲法とは何か』（岩波新書）はそれを鮮やかに教える。日本国憲法は、思想の自由、信条の自由、プライバシー等の個人の権利を保障している。価値観の多元化した近代社会にあって、その権利を保障するには、国家は何をなすべきか。まず、人々の生活領域を私的な領域と公的な領域とに区分し、私的な生活領域では、各自の信奉する価値観に沿って生きる自由を保障し、他方、公的な領域では、考え方の相違にかかわらず、社会の構成員全体に共通する利益を発見し、実現する方法を冷静に探求し、決定する態度が、国家に求められる。このような国家の姿勢を立憲主義という。

今回の大災害において、国家は立憲主義的に振る舞わなかった。これが最大の問題点だろう。国は、原子力災害対策特別措置法に基づき、避難区域、計画的避難区域、緊急時避難準備区域等といった指定を行い、住民に避難を指示した。累積放射線量を考慮し、国が住民を避難させた、その決定は正しい。だが、この措置は東京電力福島第一原子力発電所周辺の住民の共同体意識を分断し、家族の心をも分断した。

何が悪かったのか。原子力災害対策特別措置法は、成立経緯からして、事故の責任を事業者に適切に負わせることを主眼として書かれ、今回のような国家危機を想定して書かれてはいなかった。そのような法を無造作に適用し、地域の共同体を分断したことは、同法の目的とする、原子力災害から国民の生命、身体及び財産を保護する、との謳い文句をも裏切っている。

どこに住むか、どのように生きるかという、基本的な個人の選択は私的領域に属することであった。公共の福祉に反しない限り侵害されてはならない。多元的な価値観を持つ個人が、私的領域において選択した行為のいかんによって、彼らが受けるはずの公的領域におけるサービスや便宜に差異が生じてはならなかった。サービスの分配にあたっての細心かつ周到な目配りを行えるのは国家だけなのだとの厳然たる自負を、政府は抱いていただきたい。

（2011年5月8日）

失敗情報の「知識化」こそが、事故や失敗を未然に防ぐワクチン

新聞各紙は、2011年6月7日午前、東京電力福島第一原子力発電所の事故原因解明や安全規制の在り方を検討する事故調査・検証委員会の初会合が開かれたと報じた。委員長が畑村洋太郎氏だと聞いて、少しだけ明るい気分になった。

氏が「原因究明を優先するため責任追及はしない」と語ったことで、早くも不安を抱いた方もいるかもしれない。たしかに、氏が語ったという、原因究明と責任追及の関係については、少し説明が要るだろう。

畑村氏は知る人ぞ知る「失敗学」の創始者で、科学技術分野における主要な失敗の事例を系統的に分析してきた第一人者である。手近なパソコンで一度、お暇な折に「畑村洋太郎のすすめ　畑村創造工学研究所」で検索してみてほしい。そこに載っている「失敗知識データベース」は、知りたい人が知りたい時に、知りたい中身を、ほしいかたちで利用で

きるように工夫されていて、圧巻だ。

畑村氏の考え方の基本は『図解雑学　失敗学』（ナツメ社）などからも知ることができる。本書の刊行は2006年。多くの人々が命を落とすような重大な事故を起こしてしまった時、人は誰でも二度とこのような大惨事を起こさないと誓うだろう。だが、事故は繰り返される。その構造的要因について畑村氏は、失敗情報の「知識化」が、極めてまれにしかなされてこなかった点に求めた。

失敗の知識化とはそれほどに難しいものなのだろうか。答えはイエス。2006年に刊行された本書の中で、失敗情報の「急激な減衰化」の例として岩手県宮古市姉吉《あねよし》の津波石碑が、失敗情報の「歪曲化《わいきょくか》」の例としてチェルノブイリ原発事故が挙げられているのを見れば、誰しも背筋に冷たいものが走るのではないか。

減衰化とは聞き慣れない言葉だろう。明治や昭和に何度も大津波被害を受けた三陸における津波石碑は、本来であれば貴重な失敗情報だった。だが「此処《ここ》より下に家を建てるな」との石碑の戒めも、減衰化を免れなかった。祖父母から孫まで世代が隔たれば、情報伝達という点で減衰化は免れられなくなる。

次にチェルノブイリを例とした、失敗情報の歪曲化を見ておこう。1986年4月に起こった事故の原因についてソ連政府は、運転員の規則違反だと説明した。真の原因は、規則違反に加え、原子炉そのものの構造的欠陥にあったが、西側諸国は自国内での反原発運動の激化を恐れ、運転員の規則違反によるとのソ連側説明を黙って受け入れた。まさに畑村氏が卓抜に表現するように、失敗の原因は「変わりたがる」のである。

急速に減衰化し歪曲化されやすい性質をもつ失敗情報。まことに気難しい性質に生まれついた、この失敗情報を知識化するには、失敗の事象・経過・原因・対処・総括まで、脈絡をつけて記述することが特に重要となる。そのため、第三者は当事者から情報を聞き出す時、細心の注意を払わねばならない。

それは当事者へおもねることを意味しない。いったん失敗情報が知識化され、客観的な脈絡ある図が描ければ、第三者は矛盾点を発見でき、当事者が意図的あるいは無意識に隠《いん》蔽《ぺい》した点をも逐次発見できるようになる。原因究明と責任追及に関する冒頭の発言には背景があるのだ。

さて、ここまで読んでこられた方の中には、未曽有の大地震と大津波、またそれらがもたらしたチェルノブイリ級の原発事故を「失敗」という言葉で呼ぶのはおかしいと感じた方も多いのではないか。人間が万単位で亡くなる大惨事を、失敗という、いささか軽く響く単語でくるのは、むごいと。だがまずは、畑村氏の言う失敗の定義に耳を傾けていただきたい。氏は「失敗」を「人間が関わったひとつの行為が、望ましくない、あるいは期待しないものになること」と定義する。

ポイントは、人間の関わりという点と、望ましくない結果、の二つ。ごく緩やかに定義することで、かえって、自然の猛威という大前提と、ただでさえ制御が難しい巨大システムの存在が前景に見えてくるのではないか。我々に見えるのは常に結果だけだ。だから、わかりやすい原因を早々と見つけて溜飲《りゅういん》を下げたい衝動にかられる。だが、自然の猛威がそのまま入力された結果、今回のような事態が出力されたとは誰も思わないだろう。そこには人間の関与と、入力と出力をつなぐ仕組みやカラクリがあったはずなのだ。要因と結果をつなぐカラクリ。それを浮かび上がらせる失敗学は、タフで優れた手法だといえるだろう。

原因究明の前には責任追及も後回しにされるゆえんを説明してきた。それは、最も有効に知識化しうるよう情報を取り出すためだった。だが、いま一つ別の理由もある。それは、当事者が、どのようなことを考え、どのような気持ちでそのような行動をとったのかという、当事者の側に立った主観的な情報を取る必要があるからだ。主観的な情報こそが、実のところ将来起こりうる事故や失敗を未然に防ぐワクチンとなりうる。失敗学の勘所は、実のところ歴史学の目指すところと同じだ。心からのエールを送る。

（2011年6月12日）

原発事故の原因
欠けていた俯瞰と総合

新聞が好きだ。「毎日新聞」「朝日新聞」「日本経済新聞」の3紙をざっと読み、大事だと思われる記事を切り抜き、3カ月に1回の割合で読み直す。3カ月前には「点」であった記事が、時間による熟成によって情報として適度になめされ、線となり、面となる経過を味わえる。

例を一つ挙げておこう。2011年9月29日付「朝日新聞」朝刊で、酒井啓子氏が「あすを探る」という欄に「専門知を結ぶシステムを」と題して寄稿していた。中東研究者として酒井氏は、テロや「アラブの春」をなぜ予想しえなかったのか、と批判されることがよくあったという。

日本の中東研究は、専門的にみて高いレベルにあるのは間違いない。だが、明快な解説で知られる酒井氏が、弁明に終始するはずはなく、コラムはこう締めくくられる。これまで社会科学は、個々の専門家の知識を俯瞰《ふかん》して総合的判断を示すシステムや場を用意してこなかった。だが「研究者が個々の専門知の多様性を活《い》かしながら、同じ問題意識を共有して、戦争や災害など生活を根幹から壊す事件」に対処しうる「知」を、システムとして持っておく必要があるのではないか、と。

重要なポイントは、俯瞰と総合という点にある。３カ月ほど前の記事を読み返した私の頭には、東京電力福島第一原子力発電所における事故調査・検証委員会の中間報告が浮かんでいる。２０１１年12月26日に発表され、末尾には「これまでの原子力災害対策において、全体像を俯瞰する視点が希薄」であったと書かれていた。

この委員会は、失敗知識データベースを整備公開したことで知られる畑村洋太郎氏を委員長として、２０１１年5月政府内に設置された。委員会は４５６人の当事者から聴取し、第三者の立場から今一度、甚大な事故に至るまでの経緯につき客観的な脈絡を立てて実証する手法をとった。その成果が、５００ページ超の本文と２００ページ超の資料からなる中間報告となった。

ネット上で公開されている本文全体と資料編（国家の安全にかかわる情報は一部白紙となっている）は、緊迫した瞬間をよく再現し、全体として達意の文章で書かれ、これまでの政府や東電の過度の隠蔽体質からすれば、情報の開示度は高いといえる。2012年1月末日まで、国民からの意見募集も行っているというので、一読をお勧めする。

私も読んでみた。委員会は、①100年後の評価に堪える、②国民や世界の人々の持つ疑問に答える、③起こった事象と背景を正確に記録する、④当事者がいかに考え、いかに動いたかを知識化する――ことを目指したようだ。そのため、責任追及より原因究明が優先されている。

責任を追及しないでどうするとの批判もあろうが、事故の具体像と背景が完全に把握できれば、責任はいつでも追及できるはずだ。事実、報告書を読んでいけば、責任の所在は明確にされている。

いわく、①情報収集と意思決定の両面で四分五裂していた政府中枢、②原子力災害対策マニュアルで、情報入手の中枢とされていた経済産業省緊急時対応センターが全く機能しなかったこと、③甚大な事故を想定したマニュアルに、地震・津波など外的事象による問題発生について一切載せていなかった東電の教育体制、④対策を電力事業者の自主保安にまかせず、法令要求事項とすべきであったのにしなかった政府。責任の所在は明らかだ。

報告書を読んでいて最も衝撃的な部分は、緊急時に、巨大な機器としての炉がいかなる

「癖」を持って稼働するのかにつき、運転員の理解が甚だしく不十分であった事実を明らかにした部分である。旅客機の操縦士であれば、心身の健康チェックから始まり、機器としての飛行機につき、実地と仮想両面から訓練を受け、操縦マニュアルも血肉化しているはずだろう。多数の生命を預かる仕事だからだ。運転員は原子炉の向こう側に、被ばくしつつ避難を余儀なくされる人々の姿を想像しつつ運転したことがあったか。

具体的には、第4章「東京電力福島第一原子力発電所における事故対処」に問題点が析出されている。委員会が重く見たのは、1号機を冷却する非常用復水器（ＩＣ）につき、全電源が喪失した場合、自動的に隔離弁が閉じるよう設計されていた簡単な事実に、当直と呼ばれる11人からなる運転員の誰一人として気づかなかった点だ。人類が最終的に制御に成功してはいない力に日々接してきた専門家集団としては、恥ずべき知的退廃ではなかったか。当直のうちＩＣを実際に作動させた経験者もいなかった。

資料編も見ていただきたい。6章-13「アクシデントマネジメントに関する教育等の方法及び頻度」という東電の内部資料。本資料からは、運転員を対象とした事故時の対応につきいかなる教育研修がなされていたかわかる。頻度は年1回、方法は自習と運転責任者による講義だけなのだ。

あれほど、法的規制好きな霞が関がなぜ、自習と講義程度の研修でパスさせたのか。「毎日新聞」の2011年9月25日付朝刊が明らかにした、東電への天下り50人以上、との事実がその背景だとすれば、あまりのわかりやすさに慄然《りつぜん》となる。

（2012年1月15日）

大震災、国の記録
政治家の気迫伝わるか

東日本大震災が起こってからの1年、新聞各紙の調査報道の充実ぶりには目をみはらせるものがあった。老若を問わず、新聞人にとって、事態の深刻さそのものが、自らの存在意義を見つめ直させることとなったのではないか。

東京電力福島第一原子力発電所の事故調査については、政府、国会による検証が進行中だ。民間による調査報告は、一足早い2012年2月末に発表され、「福島原発事故独立検証委員会　調査・検証報告書」として市販もされている。だが、日々の学業、仕事、生活に追われる身であれば、政府の事故調査委員会がホームページ上で随時発表する内容を確認し続け、公開で行われる国会事故調査委員会の実況を動画で確認し続けるのは至難の業だろう。

よって、全体の動向をまずは新聞からおおづかみに押さえ、各紙の論調に甚だしい差異がある場合には元の記録に戻って確認するようにする。そうすれば、偏向に陥る恐れも少なかろう。新聞は、新しい知見への導入役として比類のないものだ。新聞のコラムでその大切さを説く臆面のなさはわかっているが、本欄（「時代の風」）への寄稿も最後となるので、寛容をお願いしたい。

大震災は、たしかにけた外れの天災だったが、政府や地方公共団体のとった施策の中には、人災と呼ばなければならない部分もあった。天災を記録し、人災を歴史的に検証する義務が、これからを生きる我々にはある。こう書くのは、伊丹万作のエッセー「戦争責任者の問題」（『映画春秋』1946年8月号）が私の頭を離れないからだ。伊丹は映画『国士無双』を撮った監督として知られる。

「多くの人が、今度の戦争でだまされていたという」。だまされたと嘆き、一切の責任とは無縁であるかのように多くの人々がふるまう様子を見た伊丹は、次のような言葉を死の床で書いた。

「だまされていた」と言って平気でいられる国民なら、おそらく今後も何度でもだまされるだろう。

真剣な自己反省と努力なしには同じことが繰り返されるとの、暗澹たる警告の言葉だ。

たしかに、今回の大震災にあって、政府の記録の残し方に問題があったことを想起すれば、伊丹の言葉は予言的な響きで迫ってこよう。ただ、焦点を少し手前に合わせ、個人の奮闘に目を移せば、希望もわいてくるというものだ。その一つ目の例が、宮城県石巻市へ葬儀のため帰省中被災し、石巻にとどまりながら市の災害対策の渦中に立ち、またその経緯をつぶさに記録した農林水産省職員・皆川治氏による『被災、石巻五十日。』(国書刊行会)である。

本書は、当時秘書官として仕えていた農林水産副大臣・篠原孝氏に宛て、皆川氏が毎日ファクスで送っていたという現地の状況報告と分析からなる。本のカバーには2011年3月14日付で送られた手書きメモが使われており、その乱れた文字からは切迫感が伝わる。石巻に残り復旧に専念すべしとの英断を下した篠原氏は、地産地消を早くから説いていた理論家として知られる。

二つ目の例は、東北方面総監部政策補佐官・須藤彰氏による『自衛隊救援活動日誌』(扶桑社)である。政策補佐官とは通常、自治体や国の出先機関と自衛隊との調整役を務めるが、今回の震災においては本省内部部局と現場との意思疎通に動いた。本当に大切なことは何かをその時々に考え、行動していた隊員や地域の人々の活動状況が、独特のユーモアと共に日記体で活写されている。英国ケンブリッジ大学大学院で国際政治を学んだ人物だったからこそ、内なる平静心で難事に対処しえたのかもしれない。

このような、個人の奮闘の記録を読んでいると、どうしても、国がとった対応を時系列で確認したくなってくる。２０１２年３月９日、政府は議事録・議事概要を作成していなかった会議につき、メモや資料から再現した議事概要を一斉に公表した。試みに、原子力災害対策本部の議事概要を読んでみることにしよう。

まず気づいたのは、会議ごとに冒頭でなされる菅直人首相（以下、肩書はすべて当時）の発言が軽いということだ。善意と熱意に満ちてはいるが、全閣僚を率いて議論を導き、政治的決断を行う首相の役割を果たす者がほかならぬ自分だとの自覚が、その言葉からはうかがえないのだ。

とはいえ、この議事概要は読んだ者に希望と信頼をも与えるものとなっている。修羅場の続く中、実務的オペレーションの統率は誰がとるのかをただした片山善博総務相の発言、福島第一原子力発電所をさらなる津波から守るための防潮堤工事の説明責任について強く迫った北沢俊美防衛相の発言などからは、内閣としての責任と気迫が伝わってきた。

最も注目すべきは、玄葉光一郎・国家戦略担当相の発言だろう。福島県出身で佐藤栄佐久・前福島県知事を岳父に持つ有利さはある。だが、「悪い情報も含めて情報を100％福島県知事と共有することが大事（中略）、知事と大臣レベルで話をすべきだ」（2011年3月14日）との提言や、「自民党総裁とも話した。国が最終的に責任を持つというメッセージを出すことが大事」（同31日）との言葉は、選択と責任を負う政治家の発言として後世にも残るものと思われた。

（2012年3月25日）

公文書の不在
根幹に政治の不在

２０１１年4月から、公文書管理法なる法律が施行されていたことを知る人は、あまり多くなかったのではないか。だが、同年３月の東日本大震災にあたって政府内に設置され、重要な意思決定を行っていたはずの原子力災害対策本部や政府・東京電力統合対策室が、政策決定の経緯を示すに足る文書を作成していなかった事実が岡田克也副総理によって問題とされるや、同法の存在はがぜん注目を浴びるようになってきた。

公文書管理法はその第４条で、行政機関の職員による文書の作成義務を定めている。この場合、最終的な結論部分にあたる決裁文書のみを残すのでは駄目で、「経緯も含めた意思決定に至る過程並びに当該行政機関の事務及び事業の実績を合理的に跡付け、または検証」可能な文書の作成が義務づけられた。

政策決定過程がわかるような文書の残し方を義務づけた第４条は、法律の条文としてはくどいほど配慮の行き届いた表現となっている。それは、公開請求されて都合の悪い文書を最初から作らないなどの抜け道を、今後は許さないとの意思の表れにほかならない。この法文は、政府案を元に、与野党の実務者協議による丹念な修正過程を経て作られたものだった。原案が「意思決定並びに当該行政機関の事務及び事業の実績」だけだったことを知れば、修正の意義の大きさがわかるだろう。

よりよき法文を求めて、自民党からは、福田康夫元首相と共に公文書管理法の生みの親ともいうべき上川陽子・元公文書管理担当相が、民主党からは、逢坂誠二、西村智奈美の両氏らが尽力したさまは、瀬畑源『公文書をつかう』（青弓社）、松岡資明『アーカイブズが社会を変える』（平凡社新書）に詳しい。

東日本大震災に対して日本政府がいかなる政策決定を行ったかという問題は、人間の生命や健康に甚大な影響を及ぼしうる、原子力災害や巨大地震への対応という点で、日本国民のみならず世界の人々にとっても、公共性・有用性の高い歴史的知見となりうるはずだ。国公文書管理法は第1条で法の目的を述べて、まずは、公文書を次のように意義づけた。国民が正確な情報に自由にアクセスし、それに基づいて判断し主権を行使するのが民主主義の根幹であるとすれば、その基本インフラが公文書であると。そのうえで法の目的を、公文書管理の基本事項を定めることによって、現在及び将来の国民に説明する責務を全うすることにあると謳う。

高い理念を掲げた法と制度は、世界水準に比べれば遅まきながらも、整備され始めてはいる。それにしても、行政文書に限らず、日本においては、なぜこれほどまでに記録が大切にされてこなかったのだろうか。

この問いに対し、縦割り行政、身内をかばう組織の隠蔽体質、官の業務にとってのみ必要な文書が残されてきた歴史、といった一般的な理由を対置するのは易しい。だがこれでは答えたことにはなるまい。昔、ある書店で自著を語る対談を行った際、参加者から、日本において記録が廃棄されたり隠蔽されたり、大切にされてこなかった歴史的背景を問われ、答えに詰まった経験がある。

先に名前を挙げた松岡氏は、アーカイブズ（記録資料）関係者の間では知らない者がないくらい、本問題を追いかけてきた日本経済新聞記者だ。その松岡氏は前掲書でこう嘆く。いわく、日本では記録というものの重要性がほとんど認識されていない。それは、過去と現在をつなぐ回路がどこかで分断されているからなのではないか、と。

ここにヒントがありそうだ。「政治」の定義は無数にあろうが、その核心部分としては、中央と地方の間で権限と予算を配分する力であり、国民の利益と義務を分配する行為とまとめられよう。政治とは、要求に優先順位をつけるための選択と決定の行為ともいいうる。

本来、国家が一連の政策決定を合理的かつ適正に行うためには、類似した過去の事案についての詳細な調査と検討が絶対に必要だし、政策そのものの比較を可能とする長期統計、数値データの蓄積と検討も絶対に必要だ。適正な政策決定は、それを支えるに足る十分な記録が決定の場に迅速に提供されて初めて可能となる。

政治、すなわち、多様な要求に優先順位をつけるための選択と決定が真剣になされる場で仮に、意思決定過程が判然としない決裁文書一枚だけの記録が持ち出されたり、記録の不存在が頻繁に報告されたりすれば、その非を鳴らす声が霞が関や永田町中に鳴り響いていてもよさそうだ。

それが戦後長く見られなかったということは、中央と地方の間で権限と予算を配分する力、国民の利益と義務を分配する力、すなわち政治が日本にはなかったことを意味している。

記録を大切にしない風土の根幹には政治の不在がある。右肩上がりの成長期、政府はパイを増やし続けることで分配の優先順位をつける決断を回避しえた。誤解してほしくないが、問題は決断にたけた政治家の不在ではなく、政治の不在にある。

（2012年2月19日）

原発事故と原爆
彼岸から語りかける理性

過去に起きた歴史的事象の意味が、新たな相貌をたたえて、急に自らに迫ってくることがある。

東日本大震災で発生した、東京電力福島第一原子力発電所における原子力災害の深刻さが身にしみたことで、迂遠《うえん》ながら私は、ヒロシマ・ナガサキの意味したものについて再考している。

導きの本として、私の手元にあるのは、石内都『ひろしま』（集英社）と、田邊雅章『原爆が消した廣島』（文藝春秋）だ。広島平和記念資料館は、被爆死した人の遺品を約1万9000点保管しているという。石内のこの本は、1945年8月6日の朝、少女が着ていた色鮮やかなワンピース、着物を仕立て直して手作りされたブラウスなど45点ばかりを、一つ一つ、自然光に近い照明で撮影した写真集である。

亡くなった人々の肌に直接触れていた品々だけが語れるものがあると、改めて気づかされた。首から肩にかけての部分のみ焼け残った上衣の左胸には「学徒隊　広島第一県女川崎寧子」と書かれた名札が縫い付けられている。広島第一高等女学校の生徒であった川崎さんは、遺骨すら見つかっていないが、服の一部だけが、橋にひっかかって遺っていたのだという。

地球上、初めて人類に向けて投下された原子爆弾の意味を考えるには、それが何を奪ったのかを問う視角が最も説得力を持つ。このことを、元安川に面した広島県産業奨励館（現・原爆ドーム）の東隣に育った田邊雅章の本から私は学んだ。当時8歳だった田邊は、広島から西へ60キロ行った山口県の母の実家でセミ採りをして遊んでいた。田邊は原爆によって、両親と1歳の弟を亡くしている。

豊かで楽しかった生活。賑《にぎ》わっていた街並み。田邊は原爆で消滅した猿楽町や細工町など旧来の街並みを、戸別の再現地図を作製した上で、コンピューターグラフィックス（CG）の手法により復元した。『ぼくの家はここにあった　爆心地～ヒロシマの記録～』（朝日新聞出版）がそれである。原爆投下以前の広島の姿を映像と音で見せることで、原爆が何を奪ったのかを、静かに差し出してみせた。ＣＧで再現された旧家の田邊家、福亀旅館、高橋写真館、カフェーブラジル、大正屋呉服店、高千穂館（邦画上映館）などの映像は、見るものの胸を打たずにはおかない。

ナガサキについては、投下後ひと月足らずで佐世保に上陸した、若き海兵隊カメラマン、ジョー・オダネルが極秘裏に撮影した30枚の写真が再考の縁《よすが》となる。海兵隊カメラマンの任務は、原爆の効果を確認するための撮影であり、日本人を写真に写し込むことは禁じられ、カメラも指定のもの以外用いることはできなかったという。しかしオダネルは、私的に撮影した日本人の姿を写真に残した。

オダネルに43年間も公開を躊躇《ちゅうちょ》させた写真とは、いかなるものだったのだろうか。その中の一枚。穏やかな顔をして亡くなっている、まだ赤ん坊といってよい弟の亡きがらを背中に負《お》ぶい、焼き場の順番を直立不動の姿勢で待っている少年を撮った写真。日本各地で巡回写真展が開催されたので、ご記憶の方も多いのではないだろうか。この写真は、現在、『トランクの中の日本』（小学館）などで見ることができる。

オダネルは2007年に亡くなるが、生前、地元の図書館員の聞き取りに対し、長崎に立った時の印象を「自分が地球の上に立っているとは思えなかった」と語り、被爆した人々に出会った衝撃については、「なぜ人間が同じ人間にこのような恐ろしいことをしてしまったのか」との苦悩の言葉を遺した。

石内、田邊、オダネル。この3人には、ヒロシマ・ナガサキという対象へ迫る際の、眼《め》の動かし方や精神の在りかに共通したものがあるように思われた。生者の住む此岸《しがん》から、失われたものを返せ、と叫ぶのではなく、あたかも、死者の住む彼岸から、何が失われたか、それを見せましょう、と静かに語りかける姿勢が共通している。理性、と言い換えてもよいだろう。

この種の理性といえば、『関東大震災』『三陸海岸大津波』（共に文春文庫）を書いた吉村昭で極まる。関東大震災で発した火災につき吉村は、昼食時ゆえの失火説を排し、最大の要因を薬品類の落下にあったとした。また延焼を促したものが被災者の荷物だったことにも眼を向けた。

吉村は、なぜこれほどまでに理性的な眼で震災や津波を叙述しえたのだろうか。『関東大震災』の「あとがき」が参考になるだろう。吉村は、幼い頃から両親が語って聞かせた大震災時の人心の混乱に戦慄していたというのだ。「そうした災害時の人間に対する恐怖感が、私に筆をとらせた最大の動機である」

そうであれば、吉村が『三陸海岸大津波』の一つの章の副題を「子供の眼」とし、津波に関する子どもの作文を載せた理由も、感傷などによるものではないはずだ。修羅場ともなれば人は普段抑えているエゴイズムを隠せない。大災害にあたって、子どもは人間の本質への最も辛辣《しんらつ》な目撃者となりうる。子どもに恥ずかしくない姿を大人は見せているか。吉村の遺言は、この点にこそあると思う。

（2011年7月17日）

第3章

「公共の守護者」としての天皇像

天皇制に何を求めるか

天皇と国民をつなぐ「神話」の解体のためには

2021年の皇居の新年一般参賀は感染症拡大のため中止となった。それに代えて宮内庁は、天皇と皇后が並んで人々に語りかけるビデオメッセージを1月1日に公開した。天皇は悠然たる口調で、災害や感染症による犠牲者を悼み、医療従事者の奮闘に感謝し、必ずや難局が克服されるものと信じ、人々の安寧と平和を祈念すると述べた。

注目すべきは、画面のこちら側へ向けて天皇が「皆さん」と呼びかけ、難局を克服する主体を「私たち人類」と称したことだろう。さらに、皇后は結びの言葉を述べる際、「皆様」と呼びかけた。これらの所作の含意を政治学者・原武史は、語りかける対象を国民に限らない意思の表れと読み解いた。同じ元旦の言葉でも、1946年の「新日本建設に関する詔書」(人間宣言)で、「我国民《わがこくみん》」という呼称が何度も用いられていたことを想起すれば、説得的な解釈だ。

現在、日本に住む在留外国人は約288万人いるという。だが日本は、労働者送出国との間で2国間協定を結ばずに技能実習制度を運用してきた国であり、新型コロナウイルス禍の中では本制度の問題点が幾つも明らかとなった。気がつけば我々は、国民国家の概念の見直しを迫られる社会に生きているといえよう。その事実に私は、「日本国の象徴であり日本国民統合の象徴」（日本国憲法第1条）である天皇の言葉によって改めて気づかされた。天皇の在り方については、国民の側から国へ、時間をかけた熟議を要請する時期に来ていると思われる。まずは過去2度の失われた機会を振り返っておこう。敗戦後の混乱期には、憲法制定を急ぐ連合国軍総司令部の都合により、国民が熟考する機会はなかった。帝国議会の審議で基本的な論点は出そろっていたのだが。2016年夏の現上皇の退位表明時には、国民の意向は世論調査結果というかたちで政府の意思決定に影響を与えた。大島《おおしま》理森《ただもり》衆議院議長の主導下の国会で、各会派代表者による踏み込んだ議論もなされた（議事録は公開済み）が、一代限りの特別措置法を急ぐ内閣の方針により議論は未完のままに終わった。

ではどうしたらよいのか。第一に、先の各派代表者会議を継承し、国会で時間をかけて議論する場を設けること、これが王道だろう。第二に、既に着手されてきたことではあるが、天皇と国民の関係性を説明するために動員されてきた神話・伝承・歴史を批判的に分析しておく必要がある。

人を動かす言葉の大事さは、コロナ禍を生きる私たちが日々痛感するところだ。文学はフィクションだが、その言葉は実体となって人を動かす。今回は大江健三郎『M／Tと森のフシギの物語』（岩波書店）を例に考えたい。ただ、大江の初期短編の酷薄な明晰《めいせき》さを愛する人にとって本書は、題名でつまずきそうだ。Mは女家長を表すメトリアーク、Tは不思議な力を持つトリックスターの頭文字。故郷の四国の村を舞台に、村の神話と歴史が、時代ごとに変容するMとTの組み合わせで語られる。最も面白い組み合わせは、血税一揆を率いたメイスケ母＝Mと童子メイスケ＝Tだろう。

なぜ大江はこの物語を書いたのか。1943年ごろ、国民学校の教師が黒板に絵を描いた。彼は大日本帝国の版図、その上方に天皇と皇后の上半身を雲で囲む絵を描いた。お手本通りの絵を期待した教師の意図に反し、小説中の大江少年が画用紙に描いたのは、帝国の版図ではなく故郷の谷間の村であり、天皇と皇后の姿ではなくMとTの姿だった。作者の意図が建国神話の相対化にあったのは間違いなかろう。当時の「初等科国史」の第1章は「神国」と題され、国生み神話が叙述されていた。

大江作品のほぼ全てを読んだ私は、大江の採用した相対化の手法をすぐにも説得的だと思った口だ。だが、ジェンダー分析の視点から鋭い批判を展開した人がいる。仏文学と歴史学を専門とする西川祐子だ。編著『戦後という地政学』（東京大学出版会）で西川は大江の用いた二項対立的な性差のメタファーを批判し、そのような叙述は結局、国家の神話に対してネガとポジを反転させたにすぎないとした。この批判にはうならされた。戦前期の皇国史観を否定するのに急なあまり、戦後民主主義が安易な民衆像を求めた過誤をえぐっているからだ。

そう理解したうえで私は、題名の後半部分「森のフシギの物語」に再度着目したい。大江は、MとTの創出以外にもう一つ、国家の神話を相対化しうる観点を物語に埋め込んでいた。それは森の宇宙観と命名すべき思想である。全ての人はどこかの森に「自分の木」を持つという夢想。命は木から生まれ、死んだ魂は木へと還る。天皇の神話を、国家と民族の起源と結んだ過去を持つこの国で、「自分の木」を思う行為は、国の神話の見事な相対化たりうるはずだ。

（2021年1月23日）

今こそ皇室典範＝皇室法改正論議を

編集部注：安倍晋三首相（当時）の私的諮問機関「天皇の公務の負担軽減等に関する有識者会議」が2017年1月23日、論点整理を公表した。天皇陛下の退位に関して、一代限りで認める案と将来の天皇にも適用する案について利点と課題を併記。しかし、一代限りの特別立法で対応する政府方針に沿った内容になった。今後の議論をどう進めるべきか、意見を述べた。

今回の論点整理は、一般的な有識者会議と比べると慎重な表現が多用され、今後の検討の方向についても国会や世論の動向を参考にすると明記されている。だが、まやかしに見える。最初から有識者会議は政府の意向に沿って、現在の天皇（現・上皇）に限った退位が望ましいと考えているように見えたからだ。

天皇の退位に関しては、皇室典範改正による恒久化が筋だろう。憲法施行前の１９４６

年12月、帝国議会で現行の皇室典範が承認された。1946年6月に内閣諮問機関「臨時法制調査会」が事実上、設置され、憲法を審議しながら同時並行で皇室典範の原案作りを行った。原案を作る過程では、退位の規定を置くべきだとの意見も出ていた。結局見送られたのは、退位規定を置けば、天皇の戦争責任論が再燃するかもしれないとの懸念からだった。加えて、退位すれば一般人扱いとなり、極東国際軍事裁判にかけられるのではないかとの危惧もあったようだ。

このように皇室典範は、旧憲法下の帝国議会、枢密院で審議された。皇位継承を定めた憲法第2条が「国会の議決した皇室典範」によるとする以上、帝国議会で審議されたことには、当時の議員らから疑問の声も出されていた。今度こそ国権の最高機関である国会で、象徴天皇の在り方を含め、皇室典範改正を議論してほしい。

三笠宮崇仁《みかさのみやたかひと》は1946年11月3日付の意見書で、「天皇は性格、能力、健康、趣味、嗜《し》好《こう》、習癖ありとあらゆるものを国民の前にさらけ出して批判の対象にならねばならぬから、実際問題とすれば今まで以上に能力と健康とを必要とする」と指摘した。帝国議会では、退位規定を皇室典範に入れるべきだとの意見も出ていた。当時の法制局が作成した想定問答では、旧皇室典範と同様に退位規定を皇室典範に入れない理由を、戦前の天皇が統治権の総攬者だったのに比べ、戦後の天皇は象徴だから、摂政設置で対応できるとしていた。それに対し、天皇の叔父の三笠宮が、象徴であり続ける困難さを看破していた点は興味深い。当時の官僚たちが考えていた象徴像と、デジタル時代で映像が瞬時に拡散する現代では、象徴の在り方など当然変わってくるはずだ。

戦後の象徴天皇像は、昭和天皇と天皇（現・上皇）が連携して作り上げたといえる。第一次大戦の激戦地を若き日に訪れ、平和の大切さを肝に銘じた昭和天皇が戦争の時代を生きなければならなかった苦衷《くちゅう》を、「誠に不本意な歴史」だったと、即位20周年の会見で総括したのは天皇だった。国内では、被災者の苦難に寄り添い、国外では、日本が始めた戦争で犠牲となった国の人々を悼む旅は、天皇の発意と国民の期待を勘案してなされてきたものだろう。戦争の惨禍を、象徴天皇制と戦争放棄の2本柱で乗り切った過程こそ、戦後日本の歩みにほかならなかった。

直近の未来を想定しつつ皇室典範を読み直せば、「すべて国民は法の下に平等」だと規定する憲法第14条の男女平等概念との齟齬《そご》があると気づく。皇室典範と憲法の皇位継承要件のずれも含め、皇室典範改正が議論されるべき時なのではないか。

（2017年1月24日）

歴史の大きな分水嶺だった元号法制化

天皇が譲位する国で

編集部注：新元号が「万葉集」を出典とする「令和」に決まった。皇太子が新天皇に即位する2019年5月1日から令和が始まる。昭和から平成に入り、日々の暮らしでの元号の使用頻度は減ったが、改元は時代の移り変わりを感じさせる出来事だ。今回の改元の歴史的な意味、元号を取り巻く状況の変化について取材を受けた。

昭和から平成への改元は、天皇の崩御によるものだった。今回の譲位による継承は、天皇には自然的身体と政治的身体の二つがあると国民にわからせた点に画期性がある。死が介在しない気安さからか、マスコミも新元号の予想に重点を置いて報じていた。1979年に元号が法制化された際に大学生だった身には隔世の感がある。

だが、歴史を振り返ってみれば、人々が改元に期待したり、批判したりする姿は今も昔も変わらないのかもしれない。近世期、飢饉《ききん》や災害が続くと改元を望む落首（落書き）が現れ、元号への批判もあった。徳川三代将軍に家光が就いた後の元号、寛永について人々は、「寛」の字を分解して「ウサ見ること永シ」（悪い時代が永びく）などと評した。要は、新元号への人々の期待が高かったからこそ、批判もされたわけだ。

「元号＝天皇のもの」ではない発想さえあった。室町時代の１４９０年ごろ、関東以北では「福徳」という、なんともめでたい「私年号」が使用されていた。飢饉や戦乱が続き、「そろそろ改元があってほしい」「徳政があってほしい」との期待から私年号が広がった。続いて、反政府という文脈で改元が準備された近代の例も見ておこう。戊辰《ぼしん》戦争で新政府と対峙《たいじ》した東北地方の諸藩は「大政《たいせい》」という元号に改元する構想を持っていた。また、１８８４年の一大農民蜂起として知られる秩父事件でも「自由自治」元年が唱えられていた。

１人の天皇に一つの元号を対応させ、それを追号（崩御後の称号）にも用いる「一世一元制」は近代になって新たに創られた制度だ。慶応から明治へ改元する際、岩倉具視《いわくらともみ》らが一世一元にした背景には、ある意味で冷静な合理主義があった。元号を変えようが変えまいが、災害や飢饉は起こる。よって、何回もの改元は「流弊」であり、廃止すべきだと。ここで注目すべきは、明治元年に一世一元をとった政府の発想に、天皇の権威性を高めるため、といった発想はなかったことだろう。ところが、明治半ばでの皇室典範の整備、その後の戦争へと向かう過程で、元号と一世一元制は、天皇の政治的な権威と不可分なものとされていった。

よって、アジアの人々や自国民を存亡の危機に陥れた戦争後、元号廃止論が出てきたのは自然な流れだったろう。1950年の参議院文部委員会で委員長の田中耕太郎は、日本国憲法の精神からいって、独立講和を前に元号をやめ「文明諸国共通の年号計算」たる西暦に一本化してはどうかと発議した。改元を規定する旧皇室典範や登極令が廃止された（1947年5月）ことで、元号法の制定をみる1979年までは、実のところ、元号を裏付ける法的根拠はなく、宮内府（戦後の宮内庁の前身）の発した通牒《つうちょう》「従前の例に準じて、事務を処理する」のみで運用されていた。元号廃止が現実のものとなる可能性などもあったのだ。

1979年の元号法制定の流れを草の根から作ったのは後の「日本会議」につながる右派勢力であり、この日本会議は、安倍晋三前首相の支持基盤の一つとして今や知られる存在だ。当時の世論調査からは、20～30代の人々の7、8割が皇室に「親しみ」を感じていなかったことがわかる。このような状況では国家や民族に対する国民意識を保てないと危機感を募らせた政財界の一部が右派に連動し、元号法は成立した。

今回の一連の動きが示した通り、元号法が政令（内閣による命令）で元号を定めるとしたおかげで、内閣は改元への関与を格段に強められるようになった。また注目すべきは、元号法の付則に「昭和の元号は、本則第一項の規定に基づき定められたものとする」との文言があったことだ。１９２６年に始まった昭和という元号が、１９７９年になって、さかのぼって正統化されたのだ。その意味の重さを思えば、元号法制化が大きな歴史の分水嶺（ぶんすいれい）だったと、今になって理解できる。元号法が、旧憲法下で定められた昭和をたやすく再定義しえたのなら、同法自体も、天皇が譲位する時代にふさわしく、今後、改正できるはずだ。

（２０１９年4月3日）

「国民の総意」に立脚し、変容を迫られる天皇の地位

編集部注：憲政史上初の天皇の退位があった2019年。平成の後半、上皇陛下の慰霊の旅や平和主義的な発言は、従来、天皇制に距離を置いた人にも支持された。一方、論壇の議論は、昭和から平成への時と比べ低調だったようだ。日本史に刻まれるだろうこの間の動きに関し、毎日新聞のインタビューを受けた。

――今回の代替わりをめぐる一連の社会的反響などをどう捉えますか？

「公共」と「官僚制」の二つを鍵として考えたい。上皇（前天皇）の言動に「反安倍政権」的な支持が集まったことは、日本社会で「公共」が壊れている表れと捉えるべきだ。「桜を見る会」問題は、現政権の持つ特質を端的に示した。まず、許容しえないレベルの

公私混同がある。次に、公務員自身による「公」の破壊だ。招待者名簿の破棄は、繰り返されてきた公文書の不開示や改ざんの延長線上にある。森友学園問題で、財務省は、改ざん後の決裁文書を国会、会計検査院、情報公開請求に対して臆面もなく提示した。本来は刑法の虚偽公文書作成の罪にも当たろうが、理財局長の停職3カ月の行政処分で幕引きとなった。三つ目に、種子法廃止や水道民営化、漁業権の私企業への開放など、全国の地域が育んできた知見や「公共財」が守られなくなっている。まさに、全方位で「公共」が毀《き》損《そん》されつつある。

――こうした危機に対して、天皇はいわば「公共」の象徴だと？

例えば幕末には、「私心」ある幕府を排斥する「公論重視」のシンボルとして天皇が浮かび上がった。以後も、明治期は富国強兵、戦後は平和国家といった「公」の目標へ国民をまとめる力が天皇シンボルにあった。近年も、2011年3月、東京電力福島第一原子力発電所の事故で政府が「メルトダウン」を「炉心溶融」と言い換える中、前天皇は「原子力発電所の状況が予断を許さぬ」と言い切った。「この人は危機の時に本当のことを言ってくれるはず」という人々の信頼に応えた。

——ただし、あえて言えば、天皇の存在には、民主主義と原理的に矛盾する面もあるのでは？

たしかに、公共の守護者としての天皇像の裏面に「万世一系」の物語の影響はあるだろう。ただ、「万世一系」のプロジェクトを虚構だと理解したうえで、為政者はパッチワークを続けてきたのではないか。摂関家、武家政権、明治政府……。日本に住む人々の「総意」の代表として天皇を置く。このような意味で、特別な一人と民主主義は連結可能と見られてきた。即位まもない現天皇にこのプロジェクトを進める力があるかどうかは、難しい問いだ。前天皇は、昭和天皇が訪問できなかった沖縄を幾度も訪問し、ある意味、「父」の戦争責任に向き合おうとした。前天皇は責任に正対したことで戦後「天皇制」を完成させたともいえよう。現在、多国籍の労働者が顕著に増大する日本で、「国民の総意」に立脚した天皇の地位も変容を迫られるはずだ。

――官僚制との絡みについては?

ここで、これまでの話とは真逆の天皇像を指摘したい。政治学者の丸山眞男の言葉だが、「自らの地位を非政治的に粉飾することによって最大の政治的機能を果たす」官僚制の「最頂点としての天皇」像がある。明治憲法と日本国憲法が制定される前後、官僚らは自らの理想とする体制の創出のため、巧妙な政治行動をとった。これら官僚の「狡知《こうち》」ゆえに、我々国民は、皇室や皇室儀礼の在り方について議論する機会を奪われてきたともいえる。

――奪われてきたとは?

新旧の皇室典範制定に国民はあずかれなかった。1度目は、井上毅らが草案を書き、皇室の家法だからとして公示はされなかった。また戦後の新皇室典範も、新憲法施行前に作ってしまおうとした内閣法制局の官僚が大至急書いた。皇室財産と皇位継承などの最重要課題以外の問題、つまり大嘗祭《だいじょうさい》などの儀式は、「従前の例に準じて、事務を処理する」との通牒一つでそのまま継承することにされた。

——逆に言えば、皇室典範に関わる議論は、天皇を官僚制の「最頂点」から切り離すきっかけにもなりうる、と。

現状では、継承順位の変更や皇族の結婚などは皇室会議で決定される。本人が決定に不満でも訴える先がない。憲法の職業選択や婚姻の自由と照らして、これでよいのか。戦前でさえ、皇族男子は全て軍人になるべしとの規定が、大日本帝国憲法第19条の、日本人は文武官やその他の公務に就ける、との条文に違反しているのではないかとの議論があった。

現行憲法第2条には「国会の議決した」皇室典範により皇位が継承されるとある。だが先に述べたように、現典範が決められたのは旧制度下の帝国議会においてだ。前天皇はかなり早い時点で退位を決意していたという。国会で、今度こそは十全な時間をかけ、国民を巻き込んでの議論が尽くされるべきだとの見通しゆえだろう。だが国の対応は遅れ、国会での議論も半年にも満たず、特例法で済まされた。つまり、機会は3度失われた。

だが、振り返れば、明治期の我らの祖先は、自由に憲法を構想せよと言われれば、高度な自治や民主政を描いてみせることができた人々だ。ならば、皇室典範についてもそれは可能だと思える。その過程は、日本の「公共」を再構築する好機ともなるのではないか。

（2019年12月17日）

国体という言葉があった時代、その時軍部は

この1年間は、天皇関連の史料や文献を、時間の許す限り読んでいた。2010年11月に刊行の始まった「天皇の歴史」シリーズ(講談社)の第8巻『昭和天皇と戦争の世紀』を書くためである。

順次刊行される、神話時代から近世までの天皇像を、「そうであったのか」と驚嘆しつつ読み、近代の天皇像を再考するのは、苦行ではあったが、楽しくもあった。例えば大津透の第1巻『神話から歴史へ』。恥ずかしながら私は、本書によって初めて、720年完成の『日本書紀』が、神武天皇即位を紀元前660年とした理由と経緯を知った。

まず、『日本書紀』あるいはその底本の編纂《へんさん》者が、十干十二支でいう辛酉《しんゆう》の年に革命が起こる、との中国古代の言説に従って神武即位を定めたはずだと推測する。次に、辛酉の年は60年に1回来るが、辛酉の年ならいつでもよいわけではない。60年に3と7を乗じた

1260年（この単位を蔀《ぼう》と呼ぶ）が、最適の大革命の1単位と考えられていたことをつきとめる。

そのうえで、編纂者たちの確実な記憶の範囲で大変革が起きた直近の辛酉の年はいつかといえば、601（推古9）年だったのだろうとの見立てがくる。たしかに603年に冠位十二階、604年に憲法十七条の制定があった。つまり、最も輝かしい事跡を遺したと考えられた推古朝の辛酉の年601年を起点とし、そこから1260年さかのぼった年を建国年に選んだとする。

近代史の研究者としては、1940年に近衛文麿内閣が主催した紀元二千六百年式典について、その国民動員の特色などの方にどうしても目が向いていた。だが、先に述べた神武即位の虚構性は、東洋史の祖・那珂通世《なかみちよ》によって、すでに1897年に明らかにされていたものだった（『上世年紀考』養徳社）。さらにさかのぼれば、10世紀初めの「意見封事十二箇条」で知られる三善清行《みよしきよゆき》や、天保期の国学者・伴信友《ばんのぶとも》などは、神武紀年が後世の作為だと気づいていた。

戦前期であっても旧制中学以上の教育を受けた者ならば、神武紀年の虚構性は気づいていただろう。だが、単に気づいている段階と、「60年に3と7を乗じた1260年さかののぼったため」と理解している段階では、大きな違いがある。時代の風潮が、理性の指し示すところとズレていくような場合、過去の歴史に対する正確な理解は、死活的に重要となろう。そのような時、歴史的な考え方は、理性に耐性をつけてくれるはずだ。

では、天皇を中心に昭和戦前期を見直したこの1年で何がわかったかといえば、教育と軍隊という二つの領域・空間において、詔書・勅語がいかに重みを持っていたかということだった。その時代を生きた読者は何を今更と思われるかもしれない。だが、例えば、1935年に起きた天皇機関説事件一つとっても、美濃部達吉を論難した排撃派が最も力点を置いた点が実のところ何だったかを知れば、私の言うところをご理解いただけるのではないか。

排撃派は、機関云々といった言葉尻を捉えた批判をしていたのではない。明治憲法第3条「天皇は神聖にして侵すべからず」についての美濃部の主著の説明、すなわち、憲法発布によって、天皇の国務については国務大臣が輔弼《ほひつ》責任を持つのだから、国民は天皇の発する国務関連の詔勅を批評し論議する自由を持つ、との部分を追及した。

排撃派の衆議院議員・江藤源九郎は、宣戦の詔書は国務に属するだろうと前提し、ならば、開戦という時に「国民が、いや今度は戦さなんか出来ないと言って」詔勅に反対したらどうするのかと質《ただ》していた。憲法第3条は、当時の欧州の君主国の憲法であれば標準的に書かれていたところの、君主無答責条項（君主には政治的刑事的な責任はない）をそのまま模倣したものだった。その憲法第3条を排撃派は、『日本書紀』に由来する神権的天皇について述べたものと解釈し直し、天皇の聖旨の表現であるところの詔書・勅書・勅語が憲法よりも上にくるとする解釈を政府に強要していった。

開戦の詔書に国民が反対したらどうするか、との機関説排撃派の問いは重い。政府は屈服し、美濃部の主著を発禁処分とした。では、詔書はどのような過程を経て出されるものなのだろうか。詔書は、天皇の意思を確認しつつ、内閣と宮内省間の折衝で作成される。国際連盟脱退の詔書の例で見ておこう。

まず天皇の意思として、世界平和の祈念という点と、文武官が領域をわきまえ、上下の分に従うべしとする2点の要望が出される。しかし、閣議において、後には機関説排撃派の一翼を担う荒木貞夫陸軍大臣その人が、「上下其《そ》の序」に従うべきであるとした、詔書案の一部削除を要求し、実際この一句は削除される。

陸軍大臣としてはこの一句が入れば、満州事変が関東軍参謀の暴走で起きたように（実際その通りだが）思われるのを忌避したかったのだろう。詔書を批判する自由を謳歌《おうか》したのは、まさに機関説排撃を行った、当の軍部にほかならなかった。このような背景を理解しつつ、終戦の詔書を読めば、昭和はまた違った相貌で迫ってくるはずだ。

（2011年8月21日）

第4章

戦争の記憶

歴史は戦争をどう捉えたか

歴史見直しに消極的な日本、「復元ポイント」はどこに

2020年8月15日は、戦争終結の詔書が放送されてから75年にあたる。新型コロナウイルスによるパンデミックが世界を覆い、感染予防対策と社会経済活動の両立に世界が苦しむ中での特別な夏となった。

感染が拡大した国々では、PCR検査の規模と目的をめぐる議論、個人の自由と権利の制限をめぐる議論が国を二分して闘われている。注目すべきは、並行して過去の歴史の見直しが急速に進んだことだ。BLM（「黒人の命は大事だ」）運動の発祥地米国での勢いが顕著である。プリンストン大学は、元学長で元大統領のウッドロー・ウィルソンを人種差別主義者だとして、公共政策・国際関係学部に冠していた彼の名を削除すると決定した。

コロナ禍を契機に、国家への国民の信頼は揺らぎ、国家と国民の間の信託や社会契約が途切れた、と感じた人は多かったのではないか。国家と国民の関係が大きく変容する時、

人は過去の歴史を振り返る。そして、どこで間違ったのか、その地点を探そうとするのは自然なことだろう。奴隷制に起因する人種差別が米国社会を分断する禍根の一つならば、例えば南北戦争を「復元ポイント」と思い定め、歴史の修復を試みようとしているのだと理解できる。

対して日本社会はどうだろう。右に振り切れた歴史修正主義は多く見られるが、社会思潮の変化や国際的信用の要請からの歴史の見直しには消極的な社会だといわざるをえない。原因はどこにあるだろうか。戦後の例では1945年11月、幣原喜重郎《しではらきじゅうろう》首相により設置された「戦争調査会」を、GHQ（連合国軍総司令部）の諮問機関である対日理事会が1年もたたずに廃止した一件などがまずはあろう。幣原は「我々は戦争抛棄《ほうき》の宣言を掲ぐる大旗をかざして、国際政局の広漠なる野原を単独に進み行く」と述べ、戦争の原因を調査してその結果を「記録に残し、以《もっ》て後世国民を反省」させる、と意気込んでいた。だが対日理事会は「戦争の原因を尋ね、これを処罰する仕事は国際軍事法廷の任務」とした。聖書の言葉の一部「復讐《ふくしゅう》するは我にあり」をほうふつさせる。

日本人自らが戦争原因の究明に立ち向かう絶好のチャンスはここに潰《つい》え、続く1946年5月開廷の極東国際軍事裁判の経験がそれを加速した。裁判冒頭、日本人弁護団代表の清瀬一郎は、裁判所管轄権をめぐる動議を提出し、裁判所条例の規定は事後法だから不法だと論じた。清瀬は言う。この裁判は１９４５年７月26日のポツダム宣言を根拠に設置されたはずだが、戦争犯罪の内容の拡大を連合国がロンドン協定で決定したのは同年８月８日だったではないかと。動議はウィリアム・ウェッブ裁判長によって却下されたが、清瀬のこの論法は敗戦国の人々の歴史認識に影響を与えずにはおかなかったろう。

戦争の原因を究明し処罰するのは連合国と裁判所だとの言明。その裁判所の規定を不法とする動議。戦後におけるこの認識の齟齬は、アメリカの反共主義と冷戦構造の中でも維持され、日本人の歴史認識は、「堅牢《けんろう》な」法解釈の城の中での安住を選択していった。後世の物差しで過去の歴史を測ってはならない、との一見公正に見える説明を加えながら。

たしかに、避けられた戦争といった視角から「復元ポイント」を探る研究は蓄積されてきた。私の本『戦争まで』（朝日出版社）もその拙い試みの一つだ。だが、大陸の東、太平洋の西に位置した日本の近代における「復元ポイント」を探るには、台湾、南樺太、韓国、「満州国」等の植民地・傀儡《かいらい》国家と日本の関係を注視する必要がある。

２００７年４月、日本の最高裁は中国人戦後補償裁判で原告敗訴の判決を下し、政府のみならず個人も法的追及を行えないとした。だが判決末尾の「付言」で、関係者が被害の救済に向けて努力するよう促した。これを基礎に西松建設和解、三菱マテリアル和解が結実した経緯は内田雅敏弁護士の『元徴用工　和解への道』（ちくま新書）で明らかとなる。一方、2018年10月、元徴用工訴訟に関して日本企業に賠償を命じた韓国大法院（最高裁）判決に対しては、日本側で、日韓基本条約・請求権協定等の合意を無視するものだとの批判が広くみられた。

先の事例のように日本の国際的信用を高めることに寄与する和解の道が、日韓でも解決策としてある。いま一つの方策は、日本側が、元徴用工や元慰安婦の問題を韓国の人々にとっての「復元ポイント」と不可分だという想像力を持つということにありそうだ。植民地支配や日本の国策に起因して生じた人権侵害をめぐる訴訟は、先に述べたアメリカ社会の分断の起点として人種差別問題を捉える観点と同様に、韓国社会の分断の起点を修復する試みと捉えられないか。コロナ禍の下で歴史を振り返る意義は小さくない。

（2020年8月15日）

内村鑑三が見通していた戦争の本質とは

神や仏は私をよけて通られているに違いない。そう確信できるほど、祈りや宗教的体験とは縁のない暮らしをしてきた。だが、ある一件をきっかけに考えが変わった。神が私に近づいてきたなどと言えば、今度は人が私をよけて通りそうだが……。いやまじめな話、聖書への理解が日本近代史を考えるうえで必須だと悟ったということだ。

きっかけは経済学者のジョン・メイナード・ケインズ。第一次大戦後のパリ講和会議にイギリス大蔵省代表として出席したケインズは、ドイツの賠償案の策定にあたっていた。欧州の再興を期すには、報復的賠償を科してはならず、アメリカからの対独援助も不可欠だとケインズは説いた。だが、ウィルソン米大統領はこの提案を拒絶した。憤慨したケインズは「あなたたちアメリカ人は折れた葦《あし》です」とのシブイ言葉を残し、会議半ばでパリを去ったのである。

このエピソードを『それでも、日本人は「戦争」を選んだ』（朝日出版社）で紹介した私は、「折れた葦」とはパスカル「人間は考える葦」のもじりで、「考えるのをやめた人」との意味でアメリカを批判したものだと書いた。これに対し、牧師の方から次のようなご教示をいただいた。

「折れた葦」とは「イザヤ書」36章6節に由来するのではないだろうか、と。旧約聖書翻訳委員会訳『旧約聖書3』（岩波書店）の訳で確認するとこうなる。

見よ、今、お前はエジプトという、あの折れた葦の杖《つえ》を頼みにしているが、それは、寄りかかる者の手を刺し通すだけだ。

ここで「折れた葦」は、頼りがいのないもの、との意味で使われている。よって、ケインズのアメリカ批判は、考えるのをやめた人ではなく、「全く役に立たない人」と読むべきなのではないかとご教示くださった。たしかにそう読む方が、ケインズの憤りの深さをくみ取れる。

これは本当にヒヤリとする経験で、無知の怖さを思い知らされた。悔い改めた私は、昨年から、本当に遅ればせながらではあるが、明治を代表するキリスト者、内村鑑三の全集を読むことにした。これが予想に反して面白いのだ。内村といえば、教科書的には、日清戦争に際しては「日清戦争の義」をキリスト教国の欧米列強に向けて書き、戦争を支持するが、日露戦争に際しては非戦論に転じた、との説明で済まされてしまう。

だが、内村の言葉を実際に読めば、非戦論も人間の言葉のぬくもりと共に迫ってくる。日清戦争の翌年、1896年のクリスマスに書かれた「寡婦《かふ》の除夜」という詩を目にすれば、内村の変化がいかなる点で起こったのかがよくわかる。冒頭の1連を引く。

月清し、星白し
霜深し、夜寒し
家貧し、友尠《すくな》し
歳尽て人帰らず（後略）

寡婦とは夫を亡くした女性を指すが、2連以下を読めば、清国艦隊との海戦で名高い威《い》海衛《かいえい》や台湾攻略戦で夫を亡くした妻たちだとわかる。家庭の幸福が破壊されるさまを見て、非戦への転換が早くから起こっていたのだった。

それでは、日露戦争が迫る中、内村はいかなる言葉で戦争の非を説いたのか。それを見ておこう。戦争の半年前、1903年9月26日付「万朝報《よろずちょうほう》」のコラム欄。日清戦争の回顧から書き始めた内村は言う。軍人に清国を討たせた日本人は、この10年間軍人に苦しめられてきたではないか。国富の大半は軍人のため使用された。今また、軍人にロシアを討たせたならば、軍人が国民に要求するところはいかばかりのものになろうかと。

想像せよ、と内村は言う。今度という今度は「我らの中に残る所の僅少《わずか》の自由も憲法も煙」になって消えてしまうだろう。この後に続く内村の言葉は、読む者を震撼させずにはおかない。

日本国はさながら一大兵営と化し、国民は米の代りに煙硝《えんしょう》を食い、麦の代りにサーベルを獲《か》るに至るであろう。

内村は満州事変やそれに続く戦争の時代を見ることなく1930年に死去した。煙硝を食い、サーベルを獲る兵営国家、との見立ては、太平洋戦争末期の空襲・沖縄戦・原爆の過程を知る我々にとっては、恐ろしい予言に聞こえる。日露戦争も始まっていない時分での予言である。

ここで私は、内村が軍部や軍隊と言わずに軍人と言った意味に注目したい。戦前の日本では、満州が言及される時「20億の国費と20万の英霊」との決まり文句と共に語られた。戦争の死者が戦後社会を縛る、その仕組みを内村は正確に見ていた。

人の死が戦争の本質だと考えるゆえに、内村は軍人と言った。ここに非戦の鍵を見た知性には、敬服のほかはない。しかも、軍人の死ならば、戦闘を「役目」として負った人の死であるから、社会もなお冷静な対応をとりうる。問題は、何の落ち度もない、無辜《むこ》の人の死の場合だろう。

私の危惧はここにある。2010年末の防衛計画の大綱では、先島諸島の防備強化が明記された。海上保安庁も海上警察権の再検討を始めた。緊張の理由の一半が中国の姿勢にあるのは事実だが、無辜の人の死が発生しないよう知恵を絞るのは両国の人間の責務だ。神も仏も助けてはくれまい。

（2011年1月16日）

焼かれなかった一枚の付箋が語る敗戦処理の真実

各地に豪雨をもたらした梅雨も、ほとんどの地域で明けた。敗戦から65回目の夏がやってくる。学童疎開、勤労動員、空襲、引き揚げなど、何らかのかたちで戦争を実際に知る人の数は極めて多いはずだ。例えば、終戦時、海外にいた一般邦人の数は３００万人を超えていた。

ただ、戦場を実際に知る人の数となれば話も変わる。最も若く14歳で海軍飛行予科練習生に志願した少年でさえ、今（２０１０年現在）や平均年齢が79歳を超える現実がある。ＮＨＫが太平洋戦争開戦70年を目指し、戦争証言プロジェクトとして「あなたの戦争を教えてください」と呼びかけているのも危機感ゆえだろう。

近現代史として戦争を教える身としては、戦場を知る世代がしだいに失われてゆくのは心細いかぎりだ。彼らが語ってくれる言葉からは、紙の史料からはうかがいしれない温度やにおいが伝わってくる。1944年暮れ、徴兵適齢繰り上げのため満19歳で入営、帝国陸軍の最期を中国戦線で実見した田中小実昌《たなかこみまさ》の小説は、温度やにおいの他に、戦記や回顧録を読む際の心得を私に教えてくれた。短編集『ポロポロ』（河出文庫）は、ほぼ全編が、初年兵として著者の味わった徒歩行軍とアメーバ赤痢の苦しさを描いた小説からなるが、中に次のようなさえた言葉がある。

あのころは、戦争に負けたことへのくやしさ、なさけなさといったものは、上級の兵隊と初年兵ではうんとちがっていたはずだが、当時の初年兵に、今たずねたら、上級の兵隊だった者と、あまりかわらないことを言うのではないか。

記憶が物語化されることを小説家は警戒し、小説の完成度を犠牲にしても、物語化を全力で拒否してみせた。田中の3歳年長で1944年入営組に中井英夫がいる。特異なミステリー『虚無への供物』（講談社文庫）の著者である中井には、さらに醒《さ》めた洞察があった（『中井英夫戦中日記　彼方より』河出書房新社）。

何より驚かされるのは、私たちいわゆる戦中派の年代が（中略）権力の命じるまま御両親様宛《あ》ての遺書をしたため、従容として死についたと思われているらしいことで、僅《わず》か三十年も経《た》たないのに、もうそんな歪《ゆが》んだ神話や英雄伝説が出来上ってはたまらない。

中井は、戦争中の青年たちの心情が戦後瞬く間に神話化されていった事態に愕然《がくぜん》としたのだろう。たしかに、戦争や戦場を実際に知る人の回想や言葉は、歴史を振り返る際に不可欠のものである。だが、2人の戦中派が教えるように、回想や言葉の幾分かは、時間と共に神話化や物語化を免《まぬが》れない。

ならばどうしたらよいのだろう。神話化を拒否するため、中井の場合は自らが密《ひそ》かに書いていた戦中日記を刊行してみせた。やはり、その時々の文章で記された史料の強みは揺るがない。私も最近ある史料に出合い、一枚の紙片の持つ意味の大きさに改めて感じ入った。その一件をご紹介したい。

敗戦後、国内で復員した将兵が軍保管の食糧品や衣類を大量に持ち出したことは、多くの国民が実見したことだった。学童疎開児の中には、飢餓線上にあった者もいた当時にあって、軍人たちのふるまいは、軍隊への国民感情を決定的なものとした。まさに幣原喜重郎内閣下、1945年11月に召集された帝国議会において、ある代議士が名付けたように、それは「終戦犯罪」と呼びうるものだった。

不正の根は実のところ深かった。問題は、無条件降伏に周章狼狽《しゅうしょうろうばい》した末端の兵士たちが混乱の中で勝手に物資を持ち出したという簡単なことではなかった。鈴木貫太郎内閣下の1945年8月14日、「軍其の他の保有する軍需用保有物資資材の緊急処分の件」との閣議決定が、陸軍からの請議でなされていたからである。

この閣議決定の存在自体については、これまでも大蔵省編纂の『昭和財政史』などで言及されており、聞いたことのある方もいるだろう。国民生活の安定を図り、民心を把握するため、軍保有物資を関係省庁や公共団体に引き渡すと書かれていた。閣議決定がなされた理由が言葉通りのものだったとすれば、意図はよかったのだが、現場の処置が稚拙だったため、民心の把握どころか国民の怨嗟《えんさ》の的となった、との弁解もできよう。

だが、閣議決定の内容を陸軍大臣から、例えば陸軍航空本部に伝達する際には、同年8月17日「軍需品、軍需工業品等の処理に関する件達」という文書様式が必要となる。この文書に貼《は》られていた付箋《ふせん》に私の目は引き寄せられた。付箋には次のように書かれていた。

この大臣達は、「敵側」に停戦後軍需品の整理をいかに行ったか質問された時の回答用として作製されたものだと。文末には「本付箋のみは速やかに確実に焼却すべし」との極めつきの一句もあった。

ここからは、閣議決定、大臣達以外に、軍需品処分の本当の意図と方法を記した命令書が別にあった事実が見えてくる。事実それはあり、軍需品を民需品へと移管することで米軍の武装解除・接収を回避しようとした真の意図が読み取れる。焼け残った一枚の付箋は雄弁だった。

（２０１０年７月18日）

早すぎた日本の戦後構想

二つの世界大戦に見る

夏ともなれば、仕事の合間には高校野球を見る。炎天下の試合が球児の健康によくないのはわかっているが、故郷にゆかりのあるチームの活躍を目にするのは、文句なく楽しい。日ごろ、日本近代史、特に昭和戦前期の外交を研究しているので、高校野球を見るにつけても、つい不謹慎なことを考える。例えば、試合開始直後、鮮《あざ》やかなリードを決めながら、中盤で同点に追いつかれ、次いで投手が崩れ、最後には大差で敗北した試合などの場合には。

不謹慎な考え云々というのは、負け始めた時の投手の感情の暴走に、どうしても目が行ってしまうのだ。勝ってほしいと念じつつ見ているのだから、投手の自壊ぶりが残念に感じられるのは、わかっていただけるだろう。だからつい、日本人の負けっぷりを一般化してみたくもなる。『失敗の本質』(戸部良一ほか、中公文庫)という名著もあるのだから。

『失敗の本質』は意表をつく本だった。太平洋戦争について、「なぜ必ず敗《ま》ける戦争をしたのか」という問いには潔く背を向ける。そのうえで、いかに国力に大差ある敵との戦争であっても、そこにはそれなりの戦い方があったはず、との前提のもとに、敗北を決定づけた各作戦での失敗、なかんずく「戦い方」の失敗に目を向けた。

「戦い方」の失敗のひそみに倣って言えば、我々の父祖たちが犯した「戦後」構想についての失敗も、考えるに値するテーマなのではないかと思う。日本人には、戦いがいまだ終わりきらないうちに、早々に「戦後」を構想してしまう悪い癖が確かにあった。古い話を二つご紹介したい。1914年夏に始まった第一次世界大戦。日本はドイツに宣戦布告し、連合国の一員として戦った。1917年、イギリスの要請によって艦艇を地中海へ派遣する例外はあったものの、開戦半年のうちに、ドイツ領だった赤道以北の南洋諸島と青島《チンタオ》を早々に占領した。

大戦の終結は戦争開始から5年後1919年6月だったので、日本はかなり早く実質的な戦闘を終えていたことになる。ならばヨーロッパで戦争が終結するまで、日本は何をしていたかといえば、会議をしていたのだった。来るべき講和会議に出す要求をすりあわせるべく、1915年10月、早くも委員会を設置していた。

大戦の惨禍の大きさに世界が衝撃を受けた結果、国際連盟が組織され、日本を含め多くの国が不戦条約を締結するようになるのはこの後の話。よって、日本が戦争の分け前の奪取に早々と着手したのは、帝国主義の時代の感覚では当然のことではあった。だが、時の外務次官・幣原喜重郎をトップとして、外務・海軍・陸軍の各省代表と、法制局をはじめとする法律専門家が一堂に会し、延々と議論されていた内容を知れば、いささか驚かれるに違いない。

1年以上の時間を割き、合計31回も開かれた講和準備委員会で話し合われていたのは、ドイツの権益をいかに合法的に奪うか、その論理と方法についてであった。ドイツが中国の山東省内に持っていた山東鉄道は、民間会社の形態をとって経営されていた。本問題が日本を悩ませていたのは、戦争ともなれば、敵国の公的な財産を接収するのは可能であったが、民間の財産を押収できないことだった。山東鉄道を国際法の名のもとに日本側に奪取すること、これが会議の獲得目標にほかならなかった（加藤陽子『天皇と軍隊の近代史』勁草書房）。

1919年1月から開かれたパリ講和会議において、日本代表が山東問題にこだわった背景には、前述のような事情があった。だが、パリはフランス外務省時計の間で開催された講和会議の第1回本会議の議題を知れば、日本の「戦後」構想が、あまりに早計なものだったとわかるだろう。その議題は、戦争発起人の責任、戦争中の犯罪に対する制裁、労働問題の3点だった。

アメリカの参戦、ロシア革命の勃発、ロシアの戦線離脱など、大戦の帰趨《きすう》を制する大事件は全て、日本が準備案を作成し終わった後で起きていた。パリにいて講和会議を見ていた若き近衛文麿が、次のように日本人の姿を嘆いたのも無理はなかろう（近衛文麿「講和会議所感」『戦後欧米見聞録』中公文庫）。

或《ある》外人は日本人を評して彼等は利己一点張の国民なり世界と共に憂を頒《わか》つべき熱心も親切もなき国民なりと申したり

自国に直接利害のある問題には熱心だが、世界の苦楽には我関せずとする冷淡な日本人。こうした日本人像が過去の遺物ならよいのだが。

早すぎる「戦後」構想が問題となる二つ目の例として、第2次近衛内閣による閣議決定「基本国策要綱」を挙げたい。１９４０年7月に出された本要綱は、これまで、大東亜新秩序建設を主張し、アメリカをけん制したものとして理解されてきた。だが、東北学院大学の河西晃祐准教授は全く別の見方を示す。

本要綱は、第二次世界大戦がドイツの勝利で終わるはずだとの日本の先物買いによる「戦後」構想ではなかったかと。ドイツの戦勝後に予想される東南アジア植民地の再配分の分け前にあずかりたい、こう考えた日本が選んだのはドイツとの同盟の道だった。軽率さと破滅が同義語だった時代の話ではある。

（2010年8月22日）

第一次世界大戦は日本社会にいかなる衝撃を与えたのか

編集部注：「第一次世界大戦研究～現代史と国際政治の原点から」をテーマにした毎日新聞のインタビューに、著者が応じた。

4年余に及んだ第一次世界大戦ですが、開戦から1年半ほどの間はこの戦いが早く終わると考えられていました。英独がそれぞれ率いる二つの陣営間で、明確な勝敗がつかないまま戦争が終わると。戦後イメージも、両陣営が互いにブロック（勢力圏）を作って対峙するといったものでした。帝政ロシア崩壊や米国参戦などによって生じた1919年の一方的な決着は、むしろ予想外の出来事だったのです。

日本もまた、戦後の列強との経済闘争の焦点となる中国にどう進出すべきかを考えました。1914年8月、日英同盟を理由に山東半島南側のドイツ租借地・膠州《こうしゅう》湾の利権継承を目指して参戦し、11月に早くも拠点の青島を占領して軍事作戦を終え、戦後にドイツと結ぶべき講和条約の内容などの準備に取り掛かっていました。

開戦当初の中国は中立を選び、やはり中立国の米国に領土保全と中立の保障を求めました。欧州諸国の目が極東から離れたすきに日本は翌1915年1月、山東半島の権益継承を含む「対華21カ条要求」を中国に突きつけます。この山東問題こそ、米国の対日姿勢を硬化させた契機となりました。

1919年1月に始まるパリ講和会議は、冷静に英独間の戦後処理が進められる場となり、日本はそこに戦勝国の一員として参画するはずでした。ところが、後に連合国側に立って参戦した中国、米国と山東問題をめぐって対立する状態になってしまった。北一輝は『支那革命外史』（野村浩一・今井清一解説『北一輝著作集』第二巻、みすず書房）で「支那と米国から一整《いっせい》に排日の泥を投げつけられ」たと日本外交の失敗を歎《たん》じます。米中を同時に捉える視角が生まれたのです。

軍事行動完了から講和への4年間に情勢は大きく変わっていました。日本はアジアをめぐって米中の思わぬ挟撃を受け、主観的な危機感を抱きます。危機感を募らせた北や大川周明は1919年8月、革新を謳う団体「猶存社《ゆうぞんしゃ》」を結成します。丸山眞男は、これを初期ファシズム勢力と捉えました。

初期ファシズムとは「対外的に主観的な危機意識を持ち、対内的に改革プログラムを持つ」思想運動といえるでしょう。のちに北は、既成勢力や財閥打倒の「一君万民」論など、社会の格差是正、平準化を要求する勢力となりました。大戦を機に、内外の課題を表裏一体のパッケージとして処方箋を書ける勢力が現れた点が重要です。

普通に考えれば、日本は戦勝国であり、原敬《はらたかし》の政党内閣が動き出す明るい時代でしょう。しかし、1930年代に急成長するファシズムの萌芽《ほうが》は、パリ講和会議の直後、米中の外交攻勢に強い不満を抱いた状態の下で生まれていたわけです。

第一次大戦はドイツの予想外の全面敗北で終結し、不意打ちを食らった日本では次の戦争につながる萌芽的な危機意識が生まれました。実のところ日本社会に大きな衝撃を与えた戦争だといえるでしょう。ある国民にとって精神的インパクトを持つかたちで終わる戦争は、その規模や戦死者数、地域的重大性とは必ずしも一致しません。これは大事な教訓だと思います。


（2015年3月30日）

「12・8」を迎えて思う、通牒で削除された開戦の意図

２０１１年は、日本軍のマレー半島上陸と真珠湾攻撃によって太平洋戦争が開始されてから70年にあたる。12月８日がまためぐってくる。丸70年といえば、ひと一人の人生の時間に相当するだろう。もっとも、世界に冠たる長寿国の日本では、女性の平均寿命が86・39歳、男性が79・64歳（２０１０年簡易生命表より）に達してはいるが。

戦場を体験した世代で最も若い層であるはずの敗戦時に16歳の少年飛行兵だった人々を考えてみても、彼らでさえ、今や優に80歳を超える現実がある。やがて、戦場を知る人々が世代ごといなくなる時代もやってこよう。戦争の裏と表をつぶさに見た人々が、折々の生活の中で、家族に伝えてきた多様な体験。彼ら彼女らによって伝えられた「戦争の話」こそが、日本人の戦争観を大きく規定してきたと思われる。

人々の戦争観を見る際に参照されることの多い、２００５年に読売新聞が行った調査は、

そのような意味で興味深い結果を出した。1941年に開始されたアメリカと日本の戦争を侵略戦争だとする人は34・2％。それに対し、1937年からの中国との戦争を、日本の侵略だったとする人は、そう思う、ややそう思う、を合わせると68・1％に達する。注目すべきは、日中戦争を侵略戦争ではなかったとする積極的な否定論が、1割程度にとどまったことだろう。

当時も激しかった歴史認識論争の中で、調査結果を読んだが、第一印象として、先の大戦に対する日本人の戦争観は思いの外穏当なものだと感じたことを思い出す。日本社会において、戦場や戦争を体験した人々の存在とその語りが、調査で見られた、比較的穏当な戦争観をもたらしてきたのではないか。そうだとすれば、戦場や戦争を知る世代が退場してゆく今後が正念場となる。

先に私は、アメリカとの戦争を侵略戦争と考える人が3割強、中国との戦争を侵略だと考える人が7割弱と出た調査結果を「穏当」と書いた。こう書いたのは、新聞調査に表れた国民の戦争観が、日本政府によって公式に表明されてきた見解に近い内容となっていたからである。

1995年、村山富市《むらやまとみいち》内閣は「戦後50周年の終戦記念日にあたって」とする首相談話を閣議決定の上で発表した。同談話は「わが国は、遠くない過去の一時期、国策を誤り、戦争への道を歩んで国民を存亡の危機に陥れ」として国民と戦争の関係を述べ、対外的には「植民地支配と侵略によって、多くの国々、とりわけアジア諸国の人々に対して多大の損害と苦痛を与えました」とまとめていた。

10年後の2005年、小泉純一郎内閣も終戦記念日にあたっての首相談話を発表する。国民と戦争の関係を述べた前段「先の大戦では、三百万余の同胞が、祖国を思い、家族を案じつつ戦場に散り、戦禍に倒れ、あるいは、戦後遠い異郷の地に亡くなられています」のトーンは、村山談話と大きく異なっていた。だが、対外的側面について述べた後段「我が国は、かつて植民地支配と侵略によって、多くの国々、とりわけアジア諸国の人々に対して多大の損害と苦痛を与えました」との評価は、村山談話を踏襲したとわかる。

小泉内閣以降の歴代内閣もまた、アジア諸国の人々に対する植民地支配と侵略についての見解につき、基本的には二つの談話を踏襲してきた。そうであれば次に浮かぶ問いは、アメリカとの戦争、太平洋戦争についてはどうなのか、ということになろう。

開戦から70年もたったのだから、新たな発見などそうそうあるまいと思われるかもしれない。だが、そうした予想は嬉《うれ》しいことに裏切られる。一例として、真珠湾攻撃30分前、アメリカに手交されるはずだった「最後通牒」1件を挙げておく。ワシントンの日本大使館の職務怠慢によって、宣戦布告文の手交が攻撃開始50分後となり、奇襲攻撃の汚名を負ったとの解釈と経緯はご存じだろう。

この通説的解釈に、新史料を提示して反論を加えたものに井口武夫『開戦神話』（中公文庫）がある。東郷茂徳外相から野村吉三郎大使宛ての最終訓令は、実のところ、日米交渉打ち切り通告文以上のものとして読めないよう作文されていたのではないか。交渉打ち切り通告だけでは宣戦布告の意思表示とならないのはハーグ条約からも明らかなのに、なぜ外務省は打ち切り通告文を送ったのか。これが、元外交官であり外交史を専門とする井口氏の見立てと問いである。

事実、１９４１年12月３日、当時外務省アメリカ局長であった山本熊一は、明確な開戦通告の文言を含む最後通牒草案を準備していた。だが翌４日、大本営政府連絡会議の席上、開戦決定をアメリカに察知されるのを忌避する軍部の反対によって、明示的に開戦意図を述べた末尾の一文が削除されることとなった。

緒戦の軍事作戦の成功のみを考える軍部に、外務省本省がこの時点で屈していたことの意味は大きい。災いの種は東京でまかれていたともいいうる。先の調査で見た国民の戦争観でも、アメリカとの戦争に対する評価はいまだ定まっていないようだ。歴史学の出番は、むしろこれからが本番なのかもしれない。

（2011年12月4日）

史実と向き合い、歴史の「長い記憶」を学ぶ

宮内庁編修の『昭和天皇実録』（東京書籍）が完成し、今春（2014年）から公開される見通しとなった。そこに書かれるはずの逸話の一つに、1946年8月14日、ポツダム宣言受諾から1年目の日、昭和天皇が当時の吉田茂首相や敗戦当時首相だった鈴木貫太郎らを招いた茶話会がある。侍従次長の記録によれば、天皇は大筋、こう述べたという。「戦争に負けたのはまことに申し訳ないが、日本が負けたのは今度だけではない。663年の白村江《はくそんこう》の戦いで唐と新羅の連合軍に敗れたが、その後の改革の努力もあり、日本の文化の発展の転機となった。よって今、『日本の進むべき道』も、おのずからわかると思う」と。

この話から二つの示唆が得られよう。第一に、眼前の敗戦と1000年以上も前の敗戦を引き比べて考える「長い記憶」というべきものがあることだ。大日本帝国憲法で「統治権の総攬者」とされた天皇が身につけていた「長い記憶」の作法は、日本国憲法で主権者

となった国民が継承すべきだった主権者の作法の一つなのではないか。

第二に、「日本の進むべき道」について言えば、戦後の日本は、日本国憲法第9条が掲げる戦争放棄と、1960年の日米安保条約第2条が掲げる経済条項を抱き合わせ、平和国家の道を歩んできた。この戦略は、国際社会、特に、戦争の惨禍を最もこうむったアジアと日本が再び緊密な関係を結び、アジアからの信頼を得るのに役立った。

では、「長い記憶」を身につけるにはどうすればよいのだろうか。まずは史実を押さえることが重要だ。1904年に起きた日露戦争を例にとれば、「日本は中国の旧満州地域をロシアから守るため、いわば中国のためにロシアと戦った」との、講談調の歴史解釈が今なお根強い。

だが、実際の日露戦争は、安全保障上の懸念から朝鮮半島への排他的支配を図ろうとした日本と、それを認めぬロシアとの間で戦われた戦争だった。

旧満州をめぐる言説が現れたのは、日露開戦にあたって日本側が、英米を味方につけるべく、「満州の門戸開放のための戦争」だと喧伝《けんでん》したことによる。さらに、1931年の満州事変を機に国際連盟の場で弁明を迫られた日本側は、「数十万の生霊を失い、二十億の負債」を負って旧満州を守ったのは日本だとの論陣を張った。1904年の戦争の記憶が、1931年の事件の都合によって上書きされた事実に目を向けたい。「満州問題」は、1941年の太平洋戦争に先立つ日米交渉において、中国からの日本軍撤兵問題と共に、日米対立の主要な論点となったので重要だ。史実に向き合うことが、「長い記憶」を身につける王道だといえる。

現代に話をふれれば、自民党が選挙で勝利したことで「決められる政治」となり、特定秘密保護法も2013年12月初旬に短時間の審議で採決された。「民意を得た」自民党が決めたのだから、国民が同法を選んだことになるとの見方もあるが、本当にそうなのか。2012年の衆議院選挙を見れば、自民党は小選挙区の得票率43％で、議席数の79％に当たる237議席を占有した。だが比例代表で見れば同党に投票した人の数は全有権者の16％だけなのだ。現状の自民党議席は、小選挙区制がもたらした「不自然な多数」といえ、「1票の格差」をめぐっては、全国で「違憲」や「違憲状態」の司法判断が相次いでいる。「史実に見えるもの」に対して疑念を持つ態度もまた、主権者である国民が「長い記憶」を身につける方途となろう。

2013年末には安倍晋三首相（当時）の靖国神社参拝もあった。アジア安定の軸に平和国家日本がある意味は、米中2国にとって大きな利益となる。2国が警戒するのもゆえなしとしない。さらに、「史実を押さえる」という点でも問題だ。戦没者慰霊ならば、政教分離が問題となるような神社参拝ではなく、戦後の日本が中途で断念したままの、兵士の「死に場所」や「死に方」を明らかにし、遺族に伝えてゆく行為こそが本筋なのではないか。

（２０１４年１月10日）

戦争の本当の理由と国家からの説明はなぜ異なっていたのか

２０１３年４月、安倍晋三首相（当時）の「侵略という定義については、これは学界的にも国際的にも定まっていない」との発言に対し、韓国、中国の他アメリカからも警戒感が示された。首相は５月、「歴史認識については歴史家に任せる」と答弁して幕を引いた。

任せられたのは歴史家全般だが、近代史を研究する者として考えさせられた。アーネスト・メイ『歴史の教訓』（進藤栄一訳、岩波現代文庫）を思い出すところから始めたい。政策決定にあずかる者は通常、歴史を誤用し、彼らは、歴史が教えたり予告したりしていると自ら信じているものの影響をよく受ける、と。

メイ教授はこう述べたが、為政者だけでなく私たちもまた、現在を捉え、未来を予測する際に、無意識に過去の事例を想起しつつ判断を下している。そうであれば、国民にとっても、想起すべき歴史的な事例をいかに豊かに自らの脳中にファイリングしておくか、それが決定的に重要となろう。歴史家の役割とは、そのファイルの作成を手助けすることにほかならない。

敗戦をかみしめてから68年の平和な時間が流れた。この長さは人の一生に匹敵する。直近の内閣府調査では、生活に満足と答えた日本人は7割に達したという。かたや革命で誕生したソ連は、革命から70年余後の1991年に崩壊した。人の一生分の時間、安定して続いた体制には、続くだけの根拠があろう。「戦後」からの脱却ではなく、戦前の歴史の核心をまずは知ること、これこそが大切である。

日本の戦争に関して言えば、戦争が起こされた本当の原因と、国家が国民に対して行った説明が異なっていた事実、この点をぜひともファイリングしていただきたいと思う。1931年9月の満州事変を例にとろう。事変の計画者であった関東軍参謀・石原莞爾《いしはらかんじ》は、将来的に予想される日本とソ連との戦争、あるいは日本とアメリカとの戦争を支える基地として、中国東北部（満州）全体の軍事占領を企図した。一見すると満州事変は、中国ナショナリズムの高揚に対し、日本の満蒙《まんもう》権益を守るため起こされたと理解されがちである。だが、石原の念頭には実のところ中国の姿はなく、あくまで対ソ戦、対米戦のための作戦であった。

一方、当時の軍や在郷軍人会が国民に向けた講演で強調していたのは、条約を守らない中国、との批判だった。南満州鉄道の利益を確保するため、満鉄に併行して走る鉄道は作らない、このような厳格な取り決めが日中間の条約や秘密議定書にある。こう演説することで中国への敵愾心《てきがい》をあおり、満州への武力発動への支持を獲得していった。軍による煽《せん》動《どう》が質《たち》の悪いものだったのは、満鉄併行線を禁ずる根拠が、実のところ条約でも秘密議定書でもなく、単なる会議録中の発言に過ぎなかった点にある。当局者の多くはこの事実を知りつつ、脆弱《ぜいじゃく》な論拠のまま国民に説明していた。会議録中の文言に過ぎないとの真実を国民が知るのは、事変勃発のほぼ1年後に出されたリットン報告書によってだった。

私は竹島・尖閣問題を考える際、この併行線論議から得られる教訓を、想起すべき仮想のファイルに綴《と》じ、何度も眺めることにしている。今やこのファイルを必要とするのは、日本人だけでないだろう。韓国や中国の人々にも、国家の犯す過誤の例として参考となるのではないか。

（2013年8月16日）

9条の意義、見つめ直すべき時

編集部注：戦後70年の終戦の日を迎えた2015年8月15日、政府主催の全国戦没者追悼式で、天皇陛下は「先の大戦に対する深い反省」に初めて言及した。改めて憲法第9条について著者が語った。

戦後70年が50年、60年と異なるのは、「3・11」を経験したことにあります。原発事故は、人間と核の関係を再考させました。米国のある世論調査でも、原爆投下を正当化できるとする回答が若年層で5割を切っています。今、国民に求められているのは、先の大戦での加害を胸に刻む一方で、受忍論では済まされない戦争の惨禍を正確に跡づけることでしょう。

最近、「リットン報告書」（国際連盟理事会がリットンを委員長として組織した満州事変・上海事変に関する調査委員会による報告書）を再読し、日本に欠けていたのは実利主義の観点だったと思い至りました。当時の日本は、中国政治の不統一と混乱を言い立てていました。しかし報告書は、平和を維持し中国の統一と近代化を進める道こそが、隣国日本の経済を最も潤すはずだと説いていたのです。

外交評論家の清沢洌も同じことを論じていました。満州で南満州鉄道の上げる利益が5000万円だとすれば、日中貿易全体の利益は10億円にも上る。中国との妥協こそが必要だ、との主張でした。

日中戦争勃発時の外務省東亜局長、石射猪太郎《いしいいたろう》も、回想録（『外交官の一生』中公文庫）の中の「結尾三題」で、こう述べています。

外交ほど実利主義なものがあるであろうか。国際間に処して少しでも多くのプラスを取り込み、できるだけマイナスを背負い込まないようにする。理念も何もない。外交の意義はそこに尽きる。

今こそ、味わうべき提言でしょう。

憲法第9条をめぐっては、最近、次のような批判が多くなされているようです。日本人が平和憲法を守ってこられたのは、在日米軍の存在があったからであり、また米国の核の傘のおかげなのだ、といった論調です。

ただ、9条には、国内的な存在意義がある点を忘れるべきではありません。9条の存在によって、戦後日本の国家と社会は、戦前のような軍部という組織を抱え込まずに来ました。戦前の軍部がなぜあれだけ力を持てたかといえば、国の安全と国民の生命を守ることを大義名分とした組織だったからです。

実際には、大義の名のもとに、国家が国民を存亡の機に陥れる事態にまで立ち至りました。軍部は、情報の統制、金融・資源データの秘匿、国民の監視など、安全に名を借りて行ったのです。このような組織の出現を許さない、との痛切な反省の上に、現在の9条があるのだと思います。

（2015年8月16日）

井上ひさしが追い続けた「かけがえなさ秘めた笑い」

鳩山由紀夫内閣は、政治とカネ、米軍普天間飛行場移設、この二つの問題への対応を誤って退陣した。普天間をめぐっては、頭の働く昼間には、政治とは可能性の芸術ではなかったかと嘆息しながらも、お酒の入る夜ともなれば、「ひょっこりひょうたん島」に移設したらどう、などと埒《らち》もないことを語っていた御仁もいたのではないか。私も2度ほど別の場所で酔漢のつぶやきを耳にしたことがある。もちろん、主題歌のサビつきで。

1964年から1969年にNHKで放映されていた「ひょっこりひょうたん島」。あの番組は、2010年4月9日に急逝した井上ひさしが気鋭の放送作家として、児童文学の山元護久とコンビを組み送り出した人形劇の傑作だった。「ミュージカルのありとあらゆる手を摂《と》り入れ」ようと意気込んだとは後の井上の弁。

ここで、沖縄の辛酸の象徴である基地問題と「ひょっこりひょうたん島」を同列に論ずるのは不謹慎と感じられた読者もいるだろう。だがそこは、色紙に「難しいことをやさしく、やさしいことを深く、深いことを愉快に、愉快なことをまじめに」とよく記していたという井上の言葉をまずは味わっていただきたい。さらに、井上の未完の遺作「木の上の軍隊」（栗山民也演出、井上ひさし原案で「こまつ座」による舞台化が成る）が沖縄戦を描く戯曲だったということも。基地と「ひょっこりひょうたん島」を結びつけた酔漢は、実のところ勘所を外していなかったのではないか。

このような次第で2010年の春は、時間が許せば井上作品を読んでいた。5歳で父を失い、一時的に一家離散となった井上は、キリスト教系養護施設で育つ。その時の経験に材をとった小説が名作『四十一番の少年』（文春文庫）だ。施設の側に問題があったのではない。戦災孤児が街にあふれていた終戦直後の仙台。施設の少年たちは、自らの負う不幸の量に応じて仲間を差別化し序列化した。1ミリでも自分より幸福な人間を妬《ねた》み、蹴落とさずにはいられない。均霑《きんてん》されるのは愛や幸福ではなく不幸なのだという現実を、洗濯物の整理番号41番の主人公は鉄拳で学ばされる。

あるインタビューで井上は、悲哀や不安は、人間が生まれながらに持っている感情であるのに対して、笑いは違うと述べていた。だからこそ、人間の行為で最も価値が高いのは

「笑い」だと結ぶ。生きるだけで辛《つら》いのが人間の宿命だからこそ、泣いたりせずに「笑っちゃおう」となったのだろう。井上は１９３４年生まれなので、「思い」を残しながら死んでいった多くの人間を見たはずだ。コトバそのものの面白さを笑いにくるむ井上戯曲がその底に、常に悲哀をにじませていた背景には、少年期の体験があった。

井上ファンを一挙に増やしたのは『父と暮せば』（新潮文庫）であろう。こまつ座で１９９４年初演の舞台は10年後、黒木和雄監督の手で、宮沢りえ、原田芳雄の主演で映画となった。原爆投下から3年後の広島。原爆で父と多くの友を失い１人で暮らす女主人公・美津江（宮沢）。そこに、死んだはずの父（原田）がどろんと現れ、全編広島弁の会話をゆるりと繰り広げる。

美津江には、死んだ友人の母が死に際、自分に投げつけた言葉による深いトラウマがあった。それは「うちの子じゃのうて、あんたが生きとるんはなんでですか」という、むごく正直な問いだった。

多くの被爆体験記を読破した井上は、生き残った者の辛さの多くが、自分だけが生き残って死んだ人に申し訳ないとの意識から来ると気づく。この生き残った人々の「思い」を解きほぐすべく、井上が編み出し、「おとったん」が娘に贈った次の言葉。

あよなむごい別れがまこと何万もあったっちゅうことを覚えてもろうために生かされとるんじゃ。

幸せになれ、恋をしろ、と娘を応援すべく父は下界に現れた。死者が生者を苦しめるのではなく、死者が生者を生かす輪廻《りんね》、この真理を井上は取り出してみせた。

生前に公演された最後の作品となったのは、小林多喜二を描いた「組曲虐殺」（2009年）である。この戯曲の着想を2003年段階で井上はこう述べていた（『座談会昭和文学史』一巻、集英社）。

小林多喜二の『党生活者』は僕の愛読書の一つなんです。特高警察と非合法党員という構図は、読みかえると『鞍馬天狗』です。特高が新撰組、非合法党員が勤皇の志士です。

追う者と追われる者の魂のやりとり。実際の舞台でも、山本龍二と山崎一演ずる特高コンビと、井上芳雄演ずる多喜二との関係性の変化が大きなテーマの一つとなっていた。刑事たちは自分たちの書いた文章を多喜二が丁寧に読み、添削するのに驚く。しだいに感化され、多喜二を何度も取り逃がす羽目となる。

表現のかけがえのなさについて多喜二が語る「胸の映写機」という場面。ここは豊かな声量で歌い上げる井上芳雄版多喜二の、歴史に残る名場面となったが、多喜二はこう述べる。体でぶつかって文章に挑めば、自然に「かけがえのない光景」が映写機に映し出されるように浮かんでくる。この光景に導かれて前へと進めば道は必ずひらけると。この言葉を最後の贈り物として、井上ひさしは逝った。

（２０１０年６月13日）

第5章

世界の中の日本

外交の歴史をたどる

権力簒奪への「正当性」をまとう、議会と暴力の関係性

例年の話だが、年明けからもう3カ月がたとうとすることに茫然《ぼうぜん》となる。同じ思いの方も多いのではないか。この間を振り返って、二つのニュースに胸騒ぎを覚えたことを思い出した。ともに連邦議会（国会）議事堂に関係するニュースだった。

一つめは、2021年1月6日にトランプ米大統領（当時）支持派が、ホワイトハウス近くでの集会でなされた大統領演説の後、議事堂へ突入した一件。二つめは、同年2月1日にミャンマー国軍が、議会招集の直前にクーデターに訴え、首都ネピドーの議事堂周辺を封鎖、政治家らを拘束した一件だ。

前者は大統領選でのジョー・バイデン候補勝利を不正だとし、後者も総選挙でのアウンサンスーチー氏率いる国民民主連盟（NLD）圧勝を不正によるものと訴えた。選挙の不当を唱え、実力行使を正当化した点に共通性がある。それにしても、片や言論の府である

議事堂、片や暴動あるいはクーデター。一見、議会と暴力は縁遠く映る。

だが歴史は、この二つの意外な縁の深さを教える。ナポレオン・ボナパルトによる1799年の「ブリュメール18日」のクーデターを挙げるまでもなく、権力の簒奪《さんだつ》者が合法性を装うのに、議会という場は実は打ってつけなのだ。ナポレオンらは、ジャコバン派が陰謀を企てているとして、元老会と五百人会議員をパリからサン・クルー城へと移したうえで兵力を投入し、議会制圧に成功する。

ここで、先の米国の例を見ておきたい。トランプ氏は1月6日の集会でこう演説した。不正があったとわかった時は、違うルールで（物事を）行うことが許される。さらに、非合法な大統領が生まれようとしているが、それは許されない、などと述べて人々が議事堂へ向かうよう煽動した。

暴徒が議事堂に突入した日は、全州の大統領選挙結果が上下両院によって承認される日だった。ペンス副大統領（当時）の動向いかんによっては、ペンシルベニア州などの選挙結果の否認といった反対動議を契機に、議場の大混乱も起きかねなかった。そう考えると、不正があれば違うルールが適用される、との大統領の演説は、不敵な響きを持って迫ってくる。

結果的に暴動は短時間で制圧され、トランプ派のもくろみは失敗に帰した。失敗の背景には、1月3日時点で存命の歴代国防長官10人が共同声明を発して、バイデン候補が勝利した選挙結果は受け入れるべきものであり、米軍は介入する立場にないと明言したこともあった。このように、暴力による政治的な転覆の成否は、より強大な軍事力の動向で決まることもある。

日本での最大のクーデターといえば、1936年の2・26事件にとどめを刺す。2月26日未明、安藤輝三、栗原安秀といった青年将校らが率いた歩兵第1、第3連隊を主力とする1400人余の兵が反乱を起こした。斎藤実内大臣、高橋是清大蔵大臣らを殺害し、鈴木貫太郎侍従長に重傷を負わせ、議事堂を含む永田町一帯を占拠した。

NHKスペシャル「全貌二・二六事件」（2019年8月15日放送）によって新たに解明された事実をご紹介しよう。本来は直ちに反乱を鎮圧すべきだった陸軍上層部は、反乱を奇貨として暫定的な軍政府樹立をも選択肢とした。それを知った昭和天皇は、反乱軍鎮圧を海軍に頼ろうと決意し、第1艦隊を東京湾へ集結させた他、横須賀鎮守府特別陸戦隊に出動を命じていた。終戦時の軍令部第1部長、富岡定俊の残した記録からは、天皇が「陸戦隊につき、指揮官は、部下を十分握り得る人物を選任せよ」とまで命じていた事実が浮かびあがる。反乱軍対鎮圧部隊という陸軍の相打ちどころか、海軍対陸軍の対峙までが覚悟されていた事実に震え上がる。

芝浦沖に停泊した戦艦長門が反乱軍を威圧している姿を想像するのは、無計画で失敗必至なクーデターの過大評価ではないかと思われるかもしれない。だが、26日午後、宮中で開催された陸軍の非公式軍事参議官会議メンバーの大半が反乱軍に同情的で、反乱軍説得のための陸軍大臣告示中に「諸氏の行動は国体明徴の至情」に基づくものと認める、との一文が含まれていた事実はやはり重い。

重要なのは、クーデターの渦中で軍人という種族が国民代表の議会人をどう見ていたか知ることだろう。皇道派だった陸軍省軍事調査部長の山下奉文は、先の宮中での会議の席上、2月20日の総選挙結果を話題にした。躍進した無産政党には、共産主義者からの転向組も多い。ソ連大使館も活発に暗躍する中、無産政党と反乱軍が呼応すれば、市中騒動も不可避となるとして危機をあおっていた。

ミャンマーの国軍記念日は1週間後の3月27日とか。次は何が起きるか。胸騒ぎどころではない。

（2021年3月20日）

新型コロナと対中戦略
焦燥感より冷静な「構想」

新型コロナウイルス変異株の脅威を前に、人々の注目を集めている漫画がある。朱戸《あかと》アオ氏の『リウーを待ちながら』（講談社）だ。謎めいたタイトルはフランスの作家、アルベール・カミュの小説『ペスト』（新潮文庫など）にちなむ。194＊年、アルジェリアの港町をペストが襲う。ペストという語を使いたがらない行政側に、これは語彙の問題ではなく時間との闘いだと迫る主人公の医師の名がリウーだった。

漫画の舞台は特異型のペストに襲われた現代日本の地方都市だ。多くの犠牲を出しながらも町にとどまる医師、病院職員、専門家、自衛官、市民の奮闘の果ての日常の回復まで。呼吸器内科の玉木、ウイルス専門家の原神、自衛隊医官の駒野、病院職員のカルロス……。多様な登場人物の造形が見事で、その町で彼らがいかに働き、愛し、死んだのかを描く。

２０１７年（第1巻）の作品ということに舌を巻いた。２０２０年以降、世界が体験した都市封鎖。現在、我々が体験しつつある医療崩壊。ペストと新型コロナの違いはあれ、体験して初めてわかる事柄を、著者の綿密な調査と端麗《たんれい》な作画で予見しているのは驚きだった。心揺さぶられるのは、玉木や原神ら個人が、立場の違いを超えて、①自らの責任で現状を理解し、②何が問題かを考え、③明日のための解決策を探そうと誠実に動くからだ。

漫画の中の話だと侮ってはいけない。優れた作品がなぜ人を感動させるのかを問うことには意味がある。先に主人公らの行動原理をまとめたが、まとめながらこの3点、どこかで読んだ覚えがあると気づいた。それは、防衛研究所主任研究官（現・事業構想大学院大学教授）の下平《しもだいら》拓哉氏が米海軍大学の講義を紹介した論文だった。通常の手法では作戦計画ができない難題にぶつかった時どうすべきか。そこで「構想手法」という所作が登場する。①現在の作戦環境を理解し、②問題点を明確化し、③将来のための解決策を案出する――という3段階をいう。そして①を可能とするのは、「情報」収集への不断の努力にほかならない。

これまで私は、新型コロナへの対応を戦争の語彙で語るのに違和感を覚えてきた。一方で、どうしてもその種の語彙を用いたくなる場面もあった。朱戸氏の作品と下平氏の「構想手法」の話をすり合わせて、初めて合点がいった。想定外の難題、多数の人命がかかわる危機に直面した場合は、現状の把握、問題の析出、解決策の案出という3段階の所作が即時的に求められるのだ。感染爆発時の対応が軍事の語彙になじむ理由はここにある。ウイルスを敵と捉えるか否かが問題ではなかった。

では、即時的な3段階の所作が必須の危機に、政治指導者が自らに不都合な「情報」に耳を貸さなくなったらどうなるか。集団や組織を死地に追いやることとなる。

下平氏のいう「構想手法」が必要な緊迫した事態など、新型コロナウイルス対応を除けば近々にはないだろうと思っていた。だがそうではないと、2021年4月の日米両首脳の共同声明を目にした時に思った。「台湾海峡の平和と安定の重要性を強調」との文言が、52年ぶりに声明文に入った衝撃については広く報道された。もちろんこれも重要な論点だが、今ここで注目したいのは声明の「新たな時代における同盟」という節の最終段落で、現代を「驚くべき地政学的変化の時代」と位置づけた点だ。

オバマ時代とトランプ時代の共同声明は、安全保障上の確認事項を簡潔にまとめたものだった。だが今回の文書は、主として米国側の焦燥感が前面に押し出されたものとなっている。米国側のこのスタンスは、米海軍大学のエリクソン教授らが論じてきた、中国の海洋戦略上の脅威の急激な増大への正直な反応と見るべきか。中国の海洋戦略の特質とは、下平氏の著書『日本の安全保障』（成文堂）の言葉で述べれば、対艦弾道ミサイルの配備等による特異な構え、いわば「海を制するために陸を使う」手法に相当するものだ。

脅威に対して焦燥で応ずるのは賢明ではない。抑止の成否は、挑戦者側の認識にかかっているという。「構想手法」の所作が身についている実務者には釈迦《しゃか》に説法だろう。だが、中国の政治・軍事指導者にとって、「台湾海峡」と「両岸問題」という文字列が何を意味するのか、どのような歴史認識が喚起されるのか、これを過去から学んでおくのは重要なことだ。

『周恩来キッシンジャー機密会談録』（岩波書店）が参考になる。１９７１年当時、中国の周恩来首相は、台湾問題を語る際に必ず、１９５０年６月の朝鮮戦争勃発時にトルーマン大統領が取った行動を指弾していた。第７艦隊を送って台湾海峡を封鎖した米国の所為こそ両岸問題の起源と捉えていたのだ。真の抑止は、この前提から始めなければならない。

（２０２１年５月15日）

変容を始めた安全保障、注目されるサイバー空間の「国防」

20代の学生にものを教える立場にいると、時に「おやおや」と思うことがある。これが「やれやれ」となれば、村上春樹の世界となって別の話となるのだが。

「おやおや」と思った直近の例は、かなりの学生が、自分の目や耳に入ってくる「情報」につき、疑いの目を向けず、信頼感を持って接していると知らされた瞬間だった。しかも、彼らのそのような感覚を支えているのは、自らの判断力や思考力によって情報の確度を測れるとの自負ではないのだ。

そうではなく、インターネット上に短文で個人の観察や意見を投稿できる「ツイッター」などのサービスが有する機能ゆえに、情報の取捨選択がなされうる、と考えられている。ここにいう機能とは例えば、ＲＴと略される「リツイート」、すなわち、ある投稿者の観察や意見に対し、他のユーザーが再投稿する機能を指す。ＲＴによる反復で有用な情報は浮き上がり、デマの類いは自然に淘汰《とうた》されうる、と考えられているようだ。

情報のデジタル化とは、周到な取材によって書かれた新聞記者の署名記事と、個人の観察や意見とが、RTの対象という点では、同質の「情報」として並んでしまうことを意味する。やっかいな時代となった。正しく疑うことを教えなければならないのか。私に教えられるのか。

まずは、他人や他国について冷静な観察ができる人でも、それと同程度の確度で自らや自国について観察するのは難しいことに気づいてほしい。自らを眺める際に欠落している視角は何か、死角となっているものの見方は何かを問いながら、まずは情報に接する必要がある。

三菱重工業や衆議院のネットサーバーやパソコンへサイバーテロが仕掛けられたとの事件を例に考えてみたい。三菱重工業の一件では、潜水艦や護衛艦を建造する造船所から防衛関連情報が流出した恐れがあるという。また、衆議院の一件では、ウイルス感染によって中国国内のサーバーに強制接続するようなプログラムが議員の公用パソコンに組み込まれていたという。

二つの事件報道を点と線でつなげば、読み手の頭の中で自然に結ばれる像が何かは述べずとも明らかだろう。では、これらの事件を考える際に思い出されるべき事項とは何か。それは、２０１０年12月に閣議決定された「防衛計画の大綱」の中身だと思われる。

新防衛大綱は、１９７６年以来一貫していた「基盤的防衛力構想」を抜本的に見直し、日常の警戒監視を通じた抑止力の向上をめざす「動的防衛力」概念を打ち出した点に特徴があった。具体的項目では、16隻（4個隊）態勢だった潜水艦を今後10年間で22隻（6個隊）に増強する計画などが注目された。

２０１１年8月2日の安全保障会議と閣議で了承された２０１１年版防衛白書を読んでみると、新防衛大綱の特徴が次の諸点にあると気づく。第一に、サイバー攻撃への対処が急務とされたこと。第二に、潜水艦部隊による情報収集・警戒監視について、その対象地域を従来は、「東シナ海及び日本海の海上交通の要衝」としていたのに加え、「南西方面など」といった語句が加えられたこと。

第三に、南西方面の航空警戒管制の強化が挙げられる。南西方面とは、沖縄などを含む南西諸島を指す。弾道ミサイルの探知・追尾能力を持つ「固定式三次元レーダー」が、沖縄県糸満市の与座岳分屯基地において２０１１年度中に運用開始の見込みという。さらに、沖永良部島、久米島、宮古島には、通信・電波情報収集施設がある。日本列島上の警戒管制の密度は、中国・ロシアなどユーラシア大陸にある国家にとって、十分な脅威となっていよう。

一方、防衛白書は「サイバー空間と安全保障」の項において、多くの外国軍隊がサイバー空間における攻撃能力を開発していると分析。説明にあたっては脚注部分で、米議会の超党派の諮問機関である米中経済安全保障再検討委員会が2年前に作成した年次報告書から次の一節を引用した。すなわち、「中国人民解放軍は紛争の初期段階において、敵対する政府および軍の情報システムに対して、コンピュータ・ネットワーク作戦を実施する可能性がある」と。

政府は次の通常国会をめざして秘密保全法案を準備中という。同法は、国防・外交・治安の3分野を対象に、国の存立にかかわる秘密情報を特別秘密と指定し、刑事罰を科すことで漏洩《ろうえい》防止を図ろうとしたものである。これでは、情報公開法、公文書管理法など近年培われてきた流れに逆行するのではないか。公文書管理法は、第1条で公文書を、「健全な民主主義の根幹を支える国民共有の知的資源」「主権者である国民が主体的に利用し得るもの」と位置づけていた。

問題は、国の存立にかかわるという特別秘密の中身だろう。その際、防衛白書がサイバー空間を、海洋や宇宙と並ぶ国際公共財と位置づけたことは見逃せない。安全保障の対象と意味づけが、世界的な経済危機と信用不安の中で大きく変容し始めている。事は小さくない。

（2011年10月30日）

中国大陸の東、太平洋の西に位置する日本から中国を見る

時々、闇夜の海が無性に見たくなる。埼玉に生まれ、東京でうろうろ生きる私にとって、沖縄の宮古島で深夜に目にした海は、美しくも怖く映じた。星のない夜の海は、空と海の境もわからないほどの漆黒をたたえていた。

夜の海を眺めていると、この海に投げ出されて亡くなった人、生還した人のことが頭に浮かぶ。宮古島から台湾へ南下すると、台湾とフィリピンの間にバシー海峡が横たわる。この海域では、太平洋戦争中、多くの輸送船がアメリカの潜水艦や艦載機によって沈められた。

1945年、古代史研究者の土田直鎮《つちだなおしげ》は、台湾の高雄沖で漂流すること9時間半で海防艦に拾われ（東大十八史会編『学徒出陣の記録』中公新書）、「眠狂四郎」シリーズで知られる作家の柴田錬三郎は、バシー海峡で漂流すること7時間で駆逐艦に拾われた（『わが青春無頼

帖 増補版』中公文庫）。生還した土田や柴田の時間を追体験するのは無理だが、海の暗さを追想することはできそうだ。

暗い海を眺めながら、はるか昔、この海に向かってこぎ出した父祖たちの勇気を思う。私たちは今や、電車や飛行機の乗り換え案内、目的地への道案内まで携帯ソフトに依存するようになった。だが、この列島に生きた人々は、「日本」という国号を名乗るようになった7世紀末から8世紀初頭にかけ、航海術も造船術も未熟なまま、唐、新羅、渤海《ぼっかい》へと果敢にこぎ出した。その目的が先進的な政治制度や文化の輸入であったことはよく知られている。

ここで思い出したいのは、日本と中国大陸・朝鮮半島との緊密な関係が、それ以前からずっと保たれていたことである。また、制度や技術の輸入以外に、密接な通交のなされた理由が別にあったことにも留意したい。日本が極東の端に描かれる地図を見なれた我々は、日本を閉ざされた島々と捉えがちだ。だが、網野善彦が看破したように、ユーラシア大陸の東端を包む五つの海、すなわち、ベーリング海、オホーツク海、日本海、東シナ海、南シナ海の外縁に位置する日本には、位置そのものに意味があった。

時は3世紀、中国では魏《ぎ》・呉《ご》・蜀《しょく》の3国が並び立つ状態にあった。魏の皇帝が、東アジアに浮かぶ島国・倭国の卑弥呼に「親魏倭王」との称号を授けて優遇した理由を、考古学の寺沢薫教授は次のように説く。当時の魏は、倭国を北部九州から南へ長く伸びた国だと思っていた。そのような空間把握を前提にして魏は、魏と対立する呉（魏の南に位置する）を、背後の海上からけん制しうる国として倭国を重視した、と（『日本の歴史02　王権誕生』講談社学術文庫）。

大陸で興亡を繰り返す中国の王朝にとって、大陸の東端の外縁に位置する日本は、中国内に深刻な対立がある場合、特に内陸部において問題を抱える場合、目の離せない国となる。今の中国が、新疆《しんきょう》ウイグル自治区の民族問題に加え、西部で国境を接するカザフスタン、キルギスの政情不安など、内陸部における問題を抱えていることは、容易に察せられる。

2010年4月には、中国海軍の沖縄沖への積極姿勢を示す案件が2件起こった。中国潜水艦が浮上したまま宮古島沖を航行した件と、自衛隊の護衛艦「あさゆき」に中国艦載ヘリが接近した件である。この中国の行動を、太平洋へと積極的な展開を図りたい中国軍の意思表示である、と簡単に結論づけてよいか。

一連の行動は、東端の安全をまずは確認し、次いで中国内部の問題へと向かう先の示威行動であったように思われる。中国外交のより重要なシグナルは、これまで課長級であった会談を局長級に上げ、２０１０年5月4日、北京で日中ガス田共同開発についての協議を行ったこと、こちらにあるのではないか。２００８年6月の、ガス田共同開発に関する日中合意以降止まっていた問題だけに、進展が期待される。

とはいえ、超大国への歩みを確実にとり始めた中国に世界がいかに対処すべきか、最適解を見つけるのは容易ではない。米国外交が専門のG・ジョン・アイケンベリー教授は、次のように説く。中国に覇権国家としての米国の地位を奪いたい欲望とその実現可能性は多分にある。しかし、中国の相手が欧米秩序となれば、中国がそれに代替しうる可能性は大きく低下するはずだ、と（「中国の台頭と欧米秩序の将来」『論座』２００８年2月号）。

米国の単独行動主義を批判する一方で、戦争や経済恐慌後にいかなる国際秩序が出現すれば世界の幸福となるかを熟考してきたアイケンベリーならではの視点だと思う。だが、この論文の書かれた後、世界金融危機が起こった点を思い出さなければならない。

アイケンベリー教授が望みをかけた欧州といえば、ウォール街暴走のツケを弱者の財布から払おうとする投資家の動向に端を発し、ギリシャに債務危機が発生した。米国のツケをEU（欧州連合）が払わされる格好だろうか。ドイツ国内では政府のギリシャ救済策を批判する論調が根強い。また保守党・労働党・自由民主党が三つ巴《どもえ》で総選挙を争った英国政治の今後も予断を許さない。中国にどう対応していくかを占うには、今しばらく時間がかかりそうだ。普天間基地問題の結論は、急いではならない。

（2010年5月9日）

中国外交の特徴を歴史に学ぶ

文章を書くのは孤独な作業なので、読者からのお便りは、私の大切な宝物となる。最近いただく感想で突出して多いのは、現在の国内外の状況をみると、『満州事変から日中戦争へ』（岩波新書）で描いた1930年代の雰囲気が今と似ていて怖い、というものだ。歴史は繰り返さない。しかし、世界不況と国際秩序の変動期にあって、社会の構造や制度がそれに追いつけない時、国民は心情のレベルで国内外の情勢に対応するようになる、とのパターンが似ているのかもしれない。

この本で私は、1931年の満州事変から1933年の国際連盟脱退に至る過程で、日本がいかなる主張を連盟で展開していたかを書いた。日本と中国が激しく争ったのは、満州事変に先立つこと25年前、日露戦争の後で日本がロシアから継承した諸権益をめぐる条約の解釈だった。2010年に起きた尖閣問題の背景にも、1978年の日中平和友好条約交渉時の未処理案件や解釈の違いがあるのだろう。こちらは32年前のことではあるが。

満州事変を、その計画者・関東軍の意図から説明するのは簡単だ。将来に予想される対ソ戦を有利に戦えるように、国境線を北へ上げておく、これに尽きる。だが、真の意図を隠しつつ、昭和戦前期の陸軍が国民を説得するのに用いた論理の肝は、中国への不満をあおるところにあった。いわく、中国は、日本が日露戦争によって正当に獲得した満州の特殊権益に関する条約を守らない国である、と。陸軍は時局講演会などで、中国側の条約違反の最たる例として、「併行線」問題を取り上げるのが常だった。

では、併行線問題とは何だったのか。日本の権益の柱・南満州鉄道に関し、この満鉄に併行して走る幹線鉄道や支線を中国は敷設できないとの条約があったのに、中国は違反する鉄道を敷設したのだと非難する日本の主張である。条約を守る日本、守らない中国、との二項対立で、陸軍は国民をあおっていった。

本問題につき、リットン報告書と連盟が下した結論を見ておこう。報告書は、日本側が主張するような、併行線を禁ずる条約は存在しないと断じた。ただ、1905年末、日中間で開かれた北京会議の議事録中に発言の記載がある、と指摘していた。この結論は史料からも支持できる。全権大使・小村寿太郎や同時代の外務当局は、この併行線問題に言及する際には、必ず「北京会議録に存する明文」と、正確に呼んでいたのである。

満州問題の危機を国民に説く際、陸軍は中国側の条約違反を喧伝し、黒白《こくびゃく》をつけるための外交論争に自ら入っていき、そして敗北した。明治の外務当局に自覚されていた正確な知見は、昭和の陸軍当局には継承されなかったと考えざるをえない。もっとも、別の推測も可能だ。当初は国民を欺いているとの自覚のあった当事者も、しだいに自らの宣伝を信じるようになった、との見立てである。これについては、鶴見俊輔の『思い出袋』（岩波新書）が深い。「自分だけだまさずに他人をだますのはむずかしい。日本の政治家はそこまでかしこくない」と。この感慨を抱いた当時の鶴見19歳、1941年秋のことである。

1930年代と今の空気が似ていると気づいた読者であれば、そのきな臭さの一半が、今の中国の外交姿勢に起因していることにも気づくだろう。現在の中国は、外交に黒白をつける思想を持ち込んでいるといわざるをえない。日本の戦争によって最も惨禍を被った国だからこそ、日本の過誤の過程を最もよく見てきたはずではなかったのか。

むろん、私たち自らを顧みる必要があるのは言うまでもない。そのような時にお薦めの本を2冊挙げておこう。まずは、日中友好に大きく貢献し、中国大使も歴任した中江要介氏の『アジア外交　動と静』（蒼天社出版）。6名の気鋭の若手研究者による行き届いたインタビューの記録である。中江氏は言う。中国側が感情を害する案件が生じた時など、慌てずに「中国はこんなことで怒るのか」という点のみを、情報として蓄積すればよいのだと。外務当局の重厚な知恵は若手の手で、しかと後世に伝授された。

2冊目には、1970年代生まれの若手による刮目《かつもく》すべき批評を挙げたい。大澤信亮《おおさわのぶあき》氏の『神的批評』（新潮社）である。批評の主たる対象は、宮沢賢治、柳田国男、北大路魯山人《きたおおじろさん》の3巨人《じん》。彼らはそれぞれの時代において、「生きるとはどういうことか」という、一見すると野暮《やぼ》な問いに、いかに深く向き合っていたのか。

人間は、「食」という行為を内蔵された肉体をもって生まれてくる。食べることは奪うことであり、殺すことでもあるならば、人間の身体は、暴力を初期設定されて生まれ落ちてくるとも言いうる。

では、そのような存在としての人間は、弱い者がさらに弱い者をたたく暴力の悪循環を断ち切るために、いかにすべきか。賢治が格闘していた問いを、大澤氏はこのように掘り当てた。著者の眼差《まなざ》しには、ありふれた現実を回転させ、真に世界を変えるに足る力がある。3巨人もまた、しかと現代に甦《よみがえ》った。

（2010年12月5日）

対日参戦は国際共同行動の結果と捉える
ソ連の歴史認識との深い溝

1962年10月のキューバ危機にあたって、ジョン・F・ケネディ大統領がバーバラ・W・タックマンの本『八月の砲声』(山室まりや訳、ちくま学芸文庫)を掲げつつ軍部を説得した逸話はよく知られている。実はタックマンには、もう一冊最高にスリリングな本『決定的瞬間』(町野武訳、ちくま学芸文庫)がある。第一次大戦中の1917年、敵国ドイツの暗号を解読することで、中立だった米国の対独参戦を結果的に促し、連合国を勝利に導いた英海軍諜報《ちょうほう》部を描いた本だ。作中、ある英国軍人がつぶやく。ドイツ人は利口だ、だが彼らは「敵もまた利口かもしれないと考えるだけの賢明さ」を欠いている、と。

外交の歴史を考える時、この逸話が常に頭に浮かぶ。この「賢明さ」は、外交政策を立案する際には必須のものだろう。だが、2012年に発足した第2次安倍晋三政権の対ロシア外交を振り返った時、その外交に「賢明さ」はあったと言えるのだろうか。これを考えたい。

2018年9月、ロシアのウラジーミル・プーチン大統領は、年内の平和条約締結を日本に呼びかけた。対する安倍首相も翌年9月、「ウラジーミル。君と僕は、同じ未来を見ている」と応じてみせた。だが、両国間には、長期にわたる交渉の歴史が存在した。1956年の「日ソ共同宣言」以降、政府は、北方四島（歯舞《はぼまい》群島・色丹《しこたん》島・国後《くなしり》島・択捉《えとろふ》島）の帰属方式と、平和条約締結交渉の順序をめぐっての交渉を蓄積していたのである。

ところがロシア側は、法的に有効と認める過去の合意文書は「日ソ共同宣言」だけと言う。同文書の要点を確認しておけば、歯舞群島と色丹島を日本に引き渡す、ただし、この2島は平和条約締結後に現実に引き渡されるとの条文（第9項）がある。ならば、2島引き渡し交渉、平和条約締結、引き渡し完了で済んでしまう話だったはずだ。

1956年の交渉時には日本のお家芸が発揮された。宣言本体に加え、松本俊一全権委員とグロムイコ外務次官の往復書簡の形で、平和条約交渉の中身に関し「領土問題をも含む」との解釈を書き、2島以外に領土問題（国後島・択捉島）が存在すると認めさせたのだ。

安倍内閣の日露交渉が「日ソ共同宣言」を基軸としたことは、ロシア国内で高まる排外主義を考慮すれば安全な道を選んだといえよう。だが交渉の基盤がシンプルであれば逆に、両国が依拠する歴史観の違いが前面に出てくる。ここで、ロシアのラブロフ外相が何度も、日本側は第二次大戦の結果を受け入れなければならないと述べていたことを思い出したい。

これを傲慢な発言と断ずるのではなく、発言の背景を考えたいのだ。ロシア側のいら立ちが、北方四島についての日本側説明にあるのは間違いない。日本政府の説明はこうだ。1945年8月9日、ソ連はいまだ有効だった日ソ中立条約に違反して対日参戦し、今日に至るまで不法占拠を続けている、と。

ならば、条約に違反して参戦したとの批判に対し、ロシア側はいかなる反論を用意してきたのだろうか。第1章（45ページ）で紹介した清沢洌も言っていた。日本の不自由は、外交問題で相手の立場を説明できないことだ、と。それを想起しつつ、一冊の本を見ておきたい。

緊張する2国間関係の打開のため、時に学術研究が有効な迂回路《うかい》を提供することがある。2015年に日本語版が出された『日ロ関係史』（東京大学出版会）はその典型例となろう。日本側、五百旗頭《いおきべ》真《まこと》氏、ロシア側、トルクノフ・モスクワ国際関係大学学長を編者とし、18世紀から現代まで両国の歴史を全32章に著した。エリツィン大統領時代に対露外交を担った東郷和彦、東郷の好敵手の元ロシア大使、パノフも執筆しているとなれば、本書の政治性を理解できよう。相手方の考え方を知るべき時、手に取るのにうってつけの本だ。

最も核心的な議論を周到に展開したのは、アンドレイ・クラフツェビチ法政大学教授の論考「ヤルタ会談前後のソ米関係と日本」である。当時の国際法規範の枠内で、中立条約に違反して参戦するための法的根拠をソ連は持っていたか、とのど真ん中の問いに答えている。

中立条約締結国への宣戦が違法だと百も承知のソ連の指導者、ヨシフ・スターリンは、1945年7月のポツダム会談の席上、連合国名でソ連の対日参戦を要請してほしいとハリー・S・トルーマン米大統領に求める。トルーマンはこれを拒むが、すぐさまスターリン宛て書簡で同じ効力を持つ処方箋を与えていた。それは、1943年10月のモスクワ宣言第5項、国連憲章第103条、第106条を合わせ技で読めばよいとの示唆だった。つまりソ連の対日参戦が連合国の合意による国際共同行動だと認める道が開かれた。不法占領論へのロシア側の反論は手ごわい。手ごわい歴史観を持つ国を相手にしているという事実を、日本国民の前で正直に正確に説明してみせることから、結果を出せる本当の外交が始まるはずだ。

（2020年9月19日）

経済変動と歴史
近代400年の終わりに

ニュースを聞くたび、特派員の伝える海外報道が減ったと感じる。1960年生まれの私の耳には、テレビから聞こえてきた、鸚鵡《おうむ》の嘴《くちばし》地帯など、独特な響きが今も耳に残っている。ベトナム戦争がカンボジア領まで飛び火した1970年も遠くなった。

現在、最も頻繁に報じられているのは世界金融に関するニュースだろう。それ自体はよい。だが、そこで報じられる内容が、二番底は来るのか、円高はやむのかといったたぐいの「問い」ばかりでは、やりきれない。機体トラブルで胴体着陸が不可避、とアナウンスされた機内で、防御姿勢をとりつつ着陸を待つような気持ちになり、心も縮む。

私たちが求めている「問い」とは、そのようなものではないはずだ。問われるべきは、現在、世界で進みつつある経済の大変動が私たちをどう変えるのか、変えてゆくのか、にあると思われる。

世界経済の行方を予測しろと言われれば、歴史学者は黙るほかない。だが、ピュリツァー賞に輝いたアメリカの歴史学者ジョン・ダワーがインタビューで「歴史家とは何か」と聞かれ、それは「複雑さの中からパターンを探しだす人」と答えているのは参考になるだろう。世界経済の大変動が私たちの社会をいかに変化させるか。変化が問題となった時、複雑さの中からパターンを探しだす歴史学の手法は、初めて意味を持ってくる。

そのような手法で大変動を論じている人物を見つけた。元三菱UFJモルガン・スタンレー証券チーフエコノミストで、2010年9月初旬、内閣府官房審議官（経済財政分析担当）に就任した水野和夫氏である。無数の統計から得られた数値を、時代を超えて比較可能なものへと補正し、世界1人あたり実質GDP（国内総生産）を縦軸に、人類の刻んだ長い時間を横軸としたグラフを作成した。100万年前から現在までの変化を一つの表に落とし込む作業は、想像よりはるかに大変な作業であったに違いない。

このようにして得られたデータから水野氏は、次のようなスリリングな論点を導きだした。大航海時代の1600年代に近代は始まった。この社会を支えた原理とは、世界の総人口の2割に満たない一握りの先進国の人々が、残りの8割を占める途上国の人々から、資源を安く買い、高い製品を売る、資本主義のシステムにほかならなかった。本システムは400年間うまく機能したので、先進国の人々は1970年代まで潤うことができた。だが、産油国による自己主張の開始、主要企業の利潤率の低下、粗鋼生産の停滞などの兆候が正確に暗示していたように、1974年をピークに本システムも停滞期に入った、と水野氏は見る。

そうした近代化レースの先頭を走っていたのが、米国と日本だった。実物投資で利益が上がらなくなれば、バブルへ向かわざるをえない。日本がまずは1980年代に土地の領域でバブルに走り、ついで米国も1990年代に金融の領域でバブルに走り、ともどもはじけたのが、経済史の語る現在までの実態だろう。2割が8割を搾取するシステムは経済のグローバル化によって、どうもがいても延命できなくなってきている。このような大変動が経済史の教える将来像ならば、先頭を走ってきた日本こそが次のステージにいち早く進むべきだというのが、水野氏の描く見取り図である（『人々はなぜグローバル経済の本質を見誤るのか』日本経済新聞出版）。

ならば、いかなる未来が私たちを待っているのか。それを考えるには、1970年代の石油危機の折、省エネ技術の粋によって日本が危機を世界に先駆けて克服した歴史を、まずは思い出してみるのが有効だろう。次いで、化石燃料を中心とする希少資源の争奪が既に始まっている現実を織り込む。そのうえで、脱化石燃料社会に適した技術と製品とシステムを、30億超の人口的厚みをもって台頭しつつある新興国の消費層へ売る将来像を描いてみる。海外に売るためには、日本国内で本格的な脱化石燃料社会への離陸が、世界に先駆けてなされていなければならないだろう。

私が水野氏の議論を面白いと感ずるのは、近代化のレースで先頭を走ってきた国として、日本を想定している点である。日本の資本主義を説明する時、かつての私たちは、特殊やら例外やらの形容句を冠するのが普通だった。よって、日本の土地バブルと米国の金融バブルを同列とみる水野氏の論のユニークさに触れていると、ある奇妙な感慨が浮かぶ。日本という国は、次なるステージで何が起こるか、その予告編を世界に見せてきたという点で、本格的な分析に値する国ではなかろうか。9・11以降の米国がアフガニスタンやイラクへ向けた視線は、交戦国に対するそれというよりは、討伐対象に対するそれだった。このような米国の視線は、日中戦争期の日本の、中国に対する視線と似ている。かくも多様な先例を世界史に刻んできた日本だからこそ、次なる資本主義の新段階を切り開く役割を負っているのではないか。これは皮肉ではなく希望である。

（2010年9月26日）

日本と日本人
その自己イメージは正確なのか

夜ともなれば、一杯機嫌の善男善女がニッポンの外交と安全保障を憂えつつ、それでも楽しげな光景を見ない日はない。内閣の短命と外交の稚拙さを話題に花がさく。

本コラム（「時代の風」）の存在意義の一つは、違った方向からものごとに光を当てることにあろう。よって今回は、ややへそ曲がりな見方をご紹介したい。まず、内閣の短命は何に起因しているのか考えてみよう。自民党時代の安倍晋三、福田康夫、麻生太郎への交代、民主党時代の鳩山由紀夫から菅直人への交代、改造も含めても、たしかに内閣は見事に短命だった。

今、冷静に振り返れば、やはり参議院の在り方に無理があったと気づかざるをえない。衆参両議院を安定的に支配できなければ、予算も法律も成立しない。2007年の参議院選直後には、与党自民党の大敗により首相が交代する事態となった。その3年後の

2010年の参議院選直前には、敗北を予期した与党民主党が首相の交代劇を演ずることとなった。自民党も民主党も参議院選で等しく負けた事実は、議論を進めるうえで好都合だろう。

参議院では、議員定数242の半数にあたる121議席が3年ごとに改選される。この121のうち73を都道府県選挙区で配分し、残り48を比例区で配分する。この制度下、自民党も民主党も共に与党選挙で敗北を喫した。このような現象をもたらした主な要因は何だったのだろうか。

戦前・戦後を通じた選挙分析について最も優れた成果をあげてきた川人貞史《かわとさだふみ》・東京大学教授の分析を読んで、私は初めて腑に落ちた。党別に得票率と獲得議席のスコアを長期的に分析すると、都道府県選挙区の「1人区」、この比較的人口の少ない29県の動向が不自然なまでに大きく結果を左右することが判明したというのである。

むろん議員定数の甚だしい不均衡の問題はずっと存在してきた。だが、定数を是正するにせよ、都道府県選挙区を前提とする時、鳥取県を1議席とするなら東京都には21議席必要となり、配分はそもそも無理となる。抜本的な改革が必要なのだ（川人貞史「参議院の選挙制度と民意」、『学士会会報』885号）。

内閣が短命である原因を、むろん一つの要因に帰すことはできない。だが、衆参両議院のねじれゆえに政治の安定を欠き、内閣が短命で終わり続けてきたこの間の事態を制度改革によって回避できるなら、実行してみればよいのだ。現在、民主党内で調整が進むと報じられているが、共に敗北経験のある自民党とも早急に協議を開始し、改革を実現してほしい。

次に、内閣が短命でその方針がコロコロ変わるゆえに、外交や安全保障上の交渉で日本は外国から侮られている、との我々の自己イメージは正しいのか。この点を考えてみたい。たしかに、北方領土をめぐるロシアとの対立、尖閣諸島をめぐる中国との対立を見れば、問題が山積しているのは自明だろう。ただ、私がここで問いたいのは、このような自己イメージを持って外交問題に当たることが、果たして合理的な解決を導くか、という問いである。

こう考えたのは、中国の空軍上校（大佐に相当）にして北京大学中国戦略研究センター研究員を務める戴旭氏の著作『中国最大の敵　日本を攻撃せよ』（山岡雅貴訳、徳間書店）を読んだからにほかならない。邦題が勇ましいので読むのを控えた御仁もいるかもしれない。原題は『C型包囲』で、中国大陸を海岸線に沿って包囲するかたちをとる、米国に主導された韓国、日本、東南アジア諸国、インドの一連の環を意味する。

検閲が厳しい国で、安全保障上の問題を扱う本書が当局の忌避するところとならず、また戴旭氏自身、大佐の地位を追われていないとなれば、真面目に分析に値する本だとわかる。本書の主張は一つ。従来の韜晦《とうかい》の発想を中国は捨てて、また本土迎撃構想も捨てて、国境から4000キロ離れた、まさに敵が出撃してくる地点をたたく構想でまとまるべきだという。

戴旭氏は、日本については次のように述べる。


日本という国には、国家戦略の持続性を保持し続けるという特徴がある。政府がどれだけ変わろうと、国家戦略にかかわるものは永久不変で一貫している。


影響力のある中国戦略家の目に映る日本像が、右のようなものだという点を、我々日本人は知っておく必要があろう。

中国軍の活性化の裏には、アメリカの世界戦略の変容が前提としてある。2010年11月、英仏2国は核の維持管理を柱とする防衛・安全保障条約に署名した。理由を説明したイギリスは、米国の安全保障上の重心が大西洋から太平洋へ移った点を挙げた。

事実、アメリカは軍事費を削減する一方で、２０１０年2月に発表された「4年ごとの国防政策の見直し」で、米空母を攻撃してくる可能性のある中国の対艦弾道ミサイルに対応する新戦略を打ち出した。２０１０年12月に決定された日本の新防衛大綱もまた、弾道ミサイル防衛の部分を増強した。柔軟な想像力を発揮し、自分が相手の立場になりきって自分を顧みる。そうした思考が、そろそろ我々にも必要となってきているのではないか。

（２０１１年2月20日）

幾つかの日本人像アナーキーで巧妙で

笠原和夫の名をご存じだろうか。深作欣二《ふかさくきんじ》監督の映画『仁義なき戦い』シリーズの脚本家といえば通りがよいか。1927年生まれの笠原は、呉の大竹海兵団特別幹部練習生として敗戦を迎え、焼け跡・闇市を生きた世代。とはいえ、当時は珍しい外資系商社マンを父に日本橋で生まれたとあってバタくさい。『仁義なき戦い』はバルザック『人間喜劇』を意識して書いたと平然とのたまう。

『日本暗殺秘録』『県警対組織暴力』『二百三高地』など、同一人物が書いたとはとても思えない多様なホン（脚本）をものした後、1982年公開の『大日本帝国』で笠原は、戦犯として処刑される篠田三郎演ずる中尉に「天皇陛下、お先にまいります」と言わせた。「お先に」の一語に、戦中派の意地がにじむ。亡くなったのは2002年。

笠原の書いたものは必ず読むようにしてきた私だが、『破滅の美学』（ちくま文庫）の中に惹《ひ》かれる一文があった。

どうも日本人は、アナーキーなことをやっていると生き生きとしてくる。

お正月に皇室の写真を拝し、お彼岸とお盆に仏壇を開けば、残りの1年は好き放題やっていても暮らしてゆける国、日本。落語に出てくるような人々の安穏な暮らしぶりを笠原は「天皇制下のアナーキズム」と名付けた。

笠原も体験したように、戦争末期、勤労動員学生を働かせ、自分たちは怠惰をきめこむ熟練工などはいたるところで見られただろう。戦争最終盤の海兵団の日々が、訓練ではなく盗み盗まれに明け暮れたのも事実だろう。アナーキーなことをやっていると生き生きとしてくる日本人という見立ての奥深さは、戦争犯罪の事例を思う時、いっそう確かなものとなる。

だが、日本の近現代史を研究してきた身には、戦前期の日本人について、全く別のイメージも思い浮かぶ。まずは、第一次世界大戦後のパリ講和会議において、アメリカ大統領、ウッドロー・ウィルソンがイギリス外相アーサー・バルフォアに語った一言を見ておこう

（NHK取材班編『日本の選択1　理念なき外交「パリ講和会議」』角川文庫）。

私も過去の経験から、日本人が条約の解釈についてたいへん巧妙な説明をすることをよく知っています。

当時、山東半島の旧ドイツ権益の帰属をめぐり、日本と中国の間に激しい論争が続いていた。このままではイタリアのみならず日本までもが講和条約に調印せず帰国してしまうのではないかと恐れた米英仏が介入した際の、内輪向けのせりふがこれだった。結果として山東問題では、日本の要求の全ていれられた条約が成立することとなった。

ならば、ウィルソンに日本人を手ごわいと実感させた「過去の経験」とは何だったのだろうか。その一つとして考えられるのが、人種差別撤廃条項を国際連盟規約の条文または前文に入れたいとの日本全権からの提案一件である。日本側はこの条項を連盟規約に入れるべく何度も条文修正を試みた。移民排斥に正義のないことがわかっていたウィルソンも、当初は日本の提案を支持していた。

だが、日本の真の狙いが、連盟規約という国際法の力によって、帰化や移民を規定するアメリカの国内法に歯止めをかけるところに置かれていたことに、外交の番人をもって任ずるアメリカ上院が気づかぬはずはない。ある上院議員などは「どの国も、国境のなかに入れたくない人間の入国を拒む権利があり、移民の問題を外国の決定に委ねるのは、国家主権の放棄である」と述べて、ウィルソンの翻意を求めた。人種差別廃止を連盟規約に入れる日本の試みは挫折する。そのアメリカが連盟に加わらない選択をしたのはまた別の話となる。

国際法で国内法を抑えるとの発想は、何も外交官だけに限られたものではなかった。1924年、いわゆる排日移民法がアメリカで成立したことを受けて日本の参謀本部が作成した文書に「米国新移民法と帝国国運の将来」がある。国運の将来のための対処法がふるっている。いきなり軍備拡張要求が来ると思えばそうではなく、こう来る。

米国に対しては正義人道を以て主張の根本とし、徹頭徹尾国際条約違反を以て法律の無効を要求すべし。

国際条約という観点から、アメリカの国内問題としての人種差別に歯止めをかけさせ、必要となれば、国際連盟に訴えてでも国際法の威厳を守るべきだと述べていた。

ここまでの話で、条約の解釈、国際法の使い方を、巧妙かつ執拗《しつよう》に迫る日本人、とのイメージを導きだしてきた。振り返った時代は、第一次世界大戦後、アメリカがヨーロッパではドイツの復興に、東アジアでは日本と中国への投資に力を入れ、国際協調が経済協力の側面から成立していた時代だった。ならばこそ、国際条約の解釈を握りしめて、日本がアメリカに立ち向かえたのだろう。

歴史を振り返れば、巧妙に条約を使う時代もあれば、アナーキーに身を任せた時代もあったとわかる。振り返る時代によって取り出せる日本人像も当然異なってこよう。私が今後知りたいと思うのは、清く正しく美しい日本人像のみを見たいと願う、そのような心性が生ずる時代のメカニズムについてである。

（２０１０年４月４日）

防災と国防
どう激烈の度を増すのか

国際情勢であれ自然現象であれ、対象の本質を静かに見抜く眼を持つ人がいる。第2章（104ページ）で紹介したように、吉村昭は『関東大震災』（文春文庫）を書いた動機を、「災害時の人間に対する恐怖感」と表現していた。吉村のこの言葉は、良い眼を持つ人ゆえの苦悩を推測させる。

こう書いて思い浮かぶのは物理学者にして俳人でもあった寺田寅彦である。1931年から亡くなる年の1935年まで書かれた掌篇「曙町《あけぼの》より」（『柿の種』岩波文庫）の最晩年のエッセーに、風呂に浮かぶ女の髪に触れたものがあった。「風呂桶《おけ》から出て胸のあたりを流していたら左の腕に何かしら細長いものがかすかにさわるようなかゆみを感じた」で始まる。取ろうと思って焦るとかえって「執念深く」体について離れない。文章は「風呂の中の女の髪は運命よりも恐ろしい」で結ばれていた。

寺田の生い立ち、妻との関係など文学史的エピソードなど少しも知らずとも、何か全てを読み手に悟らせる恐ろしさがある。このような眼を持つ寺田であったからこそ、1934年という年に「天災と国防」と題する卓抜なエッセー（『天災と国防』講談社学術文庫所収）を書けたのだろう。これは同年に起きた函館の大火、また1933年に起きた三陸沖大地震など、当時続発していた災害に接した寺田が書いた論考だ。

国家の安全を脅かす敵国への防備については極めて熱心だった日本。陸軍省新聞班によるパンフレット「国防の本義と其《その》強化の提唱」が出たのはまさにこの1934年だった。またワシントン海軍軍縮条約からの脱退通告を日本が行ったのもこの年だった。

その日本が、一国の運命に影響するという点で、国防に劣らず重要なはずの大災害への備えという面では無頓着なのはなぜなのか。このような怒りと疑問を拠《よりどころ》とし、災害対応の常備軍の設置、小学校での災害教育の徹底などをこの世相下に提唱しえた寺田の炯眼《けいがん》には恐れ入る。

ただ今回、寺田の考え方で着目したいのは、「文明が進めば進むほど天然の暴威による災害がその激烈の度を増す」と喝破している部分だ（同前「天災と国防」）。寺田はここで、物と心二つのことを述べていると思う。

まずは物。人類が鳥や獣と変わらぬ未開の生活をしている段階を想像すればわかるように、そのような社会においては、津波や地震によって破壊されるべき人工物や建造物は少ないはずだ。それにひきかえ、超高層ビル、原子力発電所、地下鉄、高度に進んだインフラ設備が縦横にめぐらされた社会では、いったん被災したが最後、再建すべき構造物の物量は並大抵なことでは済まない。

ついで心。例えば、夜、羽田空港から都心に向けて車を走らせた時、左手に見えてくる高層ガラスばりのオフィス群やマンション群は、たしかに独特の美しさがある。そこで人が働き、人が眠っていると思えば、窓の灯《あか》り一つさえも愛《いと》おしく感じられる。しかし、この精緻な人工物が大天災によって破壊されたと想像する時、進歩と共に災害が激烈の度を増すとの寺田の言葉に深くうなずかされるのではないか。

現代文明への愛惜の情は、年齢を問わず、身体的な快適さへの愛惜の情へと限りなく近づく。またその場合の快適さのかなりの部分は、デジタル化した情報を「今、ここ」の状態で使える自由に由来するようになった。このような快適さを享受しうるアジアの人口は30億人の厚みを持つという。これは日本の産業にとって福音に相違ない。

次に考えたいのは、寺田の言う「天災と国防」のうち、国防の方だ。寺田に倣えば、文明が進めば進むほど戦争の暴威による被害はその激烈の度を増す、ともいえそうだ。ここでも物と心両面からの言及が可能だろう。

さてこれまで述べてきたことを前提とした時、アジアで発生しうる戦争は、いかなるかたちをとるのだろうか。２０１１年3月5日付毎日新聞朝刊は、中国の国防費が前年度実績比12・７％増を記録したと伝えた。同日の報道によれば、アメリカのロバート・ゲーツ国防長官は2月の陸軍士官学校での講演で次の点を指摘した。第一に、米国の国防政策の軸足はテロ対策から国家対国家の戦争に回帰したという点。第二に、アメリカ側としては西太平洋における米軍の行動を妨害するため、中国が空母を開発したと判断していること。

それでは、中国はどうなのか。『C型包囲』で注目された現役の中国空軍大佐・戴旭氏は、２００８年初頭の大雪害が国家機能のまひを惹起《じゃっき》したのを見て、今後決して本土決戦を行ってはならず、東部沿岸の４０００キロ外で戦争を食い止める発想をするようになったという。沿岸部の諸都市だけでＧＤＰの63％をはじき出す現実がある。

文明の精華を戦争の暴威の下には置けないとの判断だろう。だが戴旭氏の構想には既視感がある。関東大震災の類推から、本土空襲対策の必要性を悟った陸軍中堅幕僚は、帝国の外側に、傀儡国家樹立を企てた。中国側にとっては思いもよらぬ比較ではあろうが、かって失敗した国の一国民としての私の恐怖感が、比較類推へと向かわせる。

（2011年9月25日）

孤独恐れる時代に日々の風景、変わる体験を

大学で日本史を教え始めて20年がたつ。長い間教えていると、井戸から世の中をのぞく身ではあっても、講義での学生とのやりとりを通じて世の中の変化に気づく機会に一度や二度は出くわす。

人生で必要なことはすべて国会議事堂へのデモで学んだ世代と違い、今の学生は友達の有無に極めて敏感だと気づかされたのが一つ。ここ数年の私の講義で学生が最もよく笑ったのは、「私には友達がいませんから」と言った瞬間だった。憫笑《びんしょう》だったのかもしれない。だが、彼らの顔には、友達がいないと公言する大人を初めて見た喜びがあった。生きにくい社会となったが、「一人でも大丈夫」と声をかけ続けていきたい。

二つめの例を挙げよう。映画『硫黄島からの手紙』(クリント・イーストウッド監督、2006年)を、公開前、東京大学で上映してみようとの企画にかかわったことがあった。

上映後、どの場面が最も印象的だったかアンケートで尋ねたところ、8割強の学生が、ある一つの場面を挙げたのには胸をつかれた。学生たちは、硫黄島で武器を捨てて投降した日本兵が、米兵に射殺される場面を最も印象的だとし、米国人のイーストウッドが米兵の非道を公平に描いたことに感銘を受けたとの感想を書いていた。

他にもっと印象的な場面があっただろう、と思いもしたが、しばらくして得心がいった。イーストウッドが、これまで日本人からは指摘しにくかった点を公然と描いてくれたこと、その点に学生たちは動かされたのだ、と。理解してくれる人がここにいた、との感慨と言うべきか。「大人はわかってくれない」のをいいことに、怒りを社会に向けられたよき時代は去り、「あなたは一人じゃない」と言ってくれる人を静かに待つのが当世風となった。二つの例から推せば、「一人でも大丈夫、でも一人じゃない」が若者への贈る言葉となるだろう。

若い感性が孤独や孤立を極度に恐れる時代に、孤立を恐れるなと説教しても誰も聞かないだろう。ならば、せめて、「一人でも大丈夫、でも一人じゃない」状態とは何なのかを、世界や社会や世の中に探しに行けるよう背中を押したい。何も海外へ行けというのではない。東西の古典・小説・映画などの中へ、また、今や簡単に読めるようになった世界の思想・論説などの中へ、入って行けばよい。

日本の孤立・不安をあおる記事がちまたにあふれる中で、いかに心に耐性をつけるか。世界には日本を公平に冷静に見る論説も多いこと、そこに目を向けるのもよいだろう。イギリスで中道左派の立場をとる「ガーディアン」紙にスティーブン・ヒル記者が載せた２０１０年8月11日付の論説は「日本『死に体』説は経済的謬見《びゅうけん》」とでも訳すべきか。日本は経済の専門家から不当な扱いを受けてきたとして、失業率・高度で安価な医療・平均寿命・学力・犯罪率・温暖化対策など多くの指標から見て、日本という国は、米国や中国を大きく引き離している、と高い評価を与えていた。

この記事の面白さは、ガーディアン紙のウェブサイト上に多数の賛否両論の書き込みと共に掲載されているところにある。読者は記者の主張の他に、読者からのコメント、コメントに対する第三者のランクづけを知ることができる。国民の一般意志というものがあると仮定すれば、このような形式で導かれる時代となったようだ。

このことは、それぞれの国民の世論の一半を、他国民がダイレクトにのぞきうる時代となったことを意味する。近代の外交官の重要な任務が、任国の国民の世論動向の調査にあったとすれば、今や外交官の仕事の大半が消失したと人は言うかもしれない。

だが、私はそうは思わない。昨今の尖閣諸島をめぐる日中両国の対立を見ても、専門家による交渉の技量が今ほど求められている時代はないと感ずる。水面下の交渉の経緯は、2011年4月に施行される公文書管理法が国民注視の下にきちんと運用されたと仮定して、30年後、歴史となって国民の前に明らかにされるだろう。ならば、それまでの間、我々は何をなすべきか。

一つの方策として、日本の戦後外交を築いてきた外務官僚の証言を読むことをお薦めする。中でも、駐米大使などを歴任した栗山尚一《くりやまたかかず》氏が、若手研究者の質疑に答えた本『外交証言録　沖縄返還・日中国交正常化・日米「密約」』（岩波書店）は示唆に富む。氏が条約課長時代に関与した1972年の日中共同声明の交渉談判。その舞台裏を支えた「外交の言葉」が明かされる。

当時の中国にとって、日本が台湾との関係をいかに処理するか、そこが死活的な争点の一つだった。困難な対立局面を、氏は「ポツダム宣言第八項に基づく立場を堅持する」とのわずか20文字を挿入することで妥結に導いた。

周恩来はこの「外交の言葉」の含意を瞬時に読み取り、ただちに同意を与えたという。含意を読み取れなかった向きは、同書134ページをご覧いただきたい。外交の言葉、その裏面の奥深さを外交のプロから学び、過去の事例に耳を傾けておくだけでも、日々の風景は違って見えるはずである。

（2010年10月31日）

第6章

歴史の本棚

I 国家に問う

「国家に問う」という歯切れのよい見出しを見て、はたと考えこんでしまった方など多いそうだ。国民の一人としての個人が、時に国家というものをじっと眺め、疑問を投げかけるのは大事だろう。だがそれは簡単ではないと本能が教える。なぜ難しいのか。まずは、国民の一人としての個人という部分。そもそも国民は国家を構成して統治の客体ともなる一方、立法を行う成員でもあるから統治の能動的主体でもあるからだ。

個人が国家にとって両義的存在だという点に加え、「じっと眺め、疑問を投げかける」という行為自体も難しい。想像してみてほしい。舞台監督から「さあ、そこのあなた、国家をじっと眺めてみて」と声をかけられた時、あなたはどのような仕草をするだろう。見上げるのか、横目で一瞥《いちべつ》を加えるのか、見下すのか、胸に手を当て自らと国家とが一体であるような仕草をするのか、前方を向いて眩《まぶ》しそうに眺めるか。

ならば、「『そこら辺に転がっている日本国民の一人』ですから」（@橋本治）という低い姿勢から、公文書という窓を通して国家を注視してみるのはいかがだろう。

情報公開法・公文書管理法の空洞化を憂慮する

『国家と秘密　隠される公文書』
●久保亨、瀬畑源＝著／集英社新書

本書のカバーの帯には、「本文書ハ焼却相成度《アイナリタク》」の部分を拡大した敗戦時の通達の写真が載せられている。評者もまた史料を見ている際、「本達《タッシ》ハ速《スミヤ》カニ確実ニ焼却スベシ」と記された紙片を目にしたことがある。日本人は史料を焼くのがつくづく好きな国民なのだと長嘆息して天を仰ぐが、考えてみれば正倉院の古文書として8世紀初頭の戸籍などはきちんと伝来しており、国民性では説明がつかない。

副題を「隠される公文書」とする本書の姿勢は明快だ。自分たちの業務に必要な文書だけを残し、国民への説明責任を負う自覚はなかった日本の官僚制の特質がまずは丁寧に語られる。よって、行政を担う者は情報を隠すものだと腹をくくったうえで、国民は、国家に記録を残させ情報を開示させることが肝要と説く。言論の萎縮が進む昨今にあって、久々の直球ど真ん中の提言である。この本は、２０１３年末に成立した特定秘密保護法に対し、2人の歴史研究者が抱いた深い危機感から生まれた。同法はすでに運用基準や政令が閣議決定され、２０１４年12月の施行を待つばかりとなっている。

この法が、国民の目から重要な情報を隠し、結果責任も問われない方途を行政に与えるものとなること自体大きな問題だが、著者たちの懸念は必ずしもそこだけに向けられているのではない。

近代中国の経済史を専門とし、世界の公文書館を多数見てきた久保と、象徴天皇制の研究者であり、公文書管理法制を語らせたら右に出る者がいない瀬畑。2人の著者が真に危惧しているのは、特定秘密保護法の運用が始まることで、近年ようやくうまく回り始めてきた、民主主義の根幹を支える二つの大切な法や制度に大きな空洞や例外が生じてしまうのではないかとの点にある。大切な法とは、２００１年から施行された情報公開法と、２０１１年から施行された公文書管理法にほかならない。

情報公開法によって国民は、行政機関の職員が職務上作成しあるいは取得し、組織的に使用し、機関内に保存している文書を開示請求することが、権利として認められることとなった。ことの重要性は、特定秘密保護法の制定過程の文書を開示請求し、それをＰＤＦ

ファイル化して公開した「毎日新聞」による実践例が最も雄弁に物語る（10月13日付電子版）。今や私たちは、特定秘密保護法を準備した内閣情報調査室に対し、内閣法制局が示した疑問点が何だったか知ることができるのだ。法制局は、秘密の範囲を拡大し、厳罰化を図ろうとする内閣情報調査室の立法の根拠が薄弱だと見ていた。

このような開示請求も、そもそも文書が作成され保存されていなければ意味がない。情報公開の前に立ちふさがる、「文書を作らず、残さず、手渡さず」の霞が関文化を打破するために制定されたのが公文書管理法だった。これにより、行政機関の職員には文書の作成義務が課され、ファイル管理簿への登載も義務づけられた。情報公開と公文書管理の二つが、この3年でようやく動き始めていた。

特定秘密保護法を危惧する声に対して政府は、特定秘密を載せた文書も行政文書なのだから情報公開請求が可能とし、また保存期間が満了すれば公文書管理法に従って国立公文書館等に移管されるから心配ご無用と述べていた。これらの答弁が、情報公開と公文書管理の現状から見て、いかに真理からかけ離れたものであるかについても、本書は詳細に解き明かす。権力を注視する極意を教える貴重な一冊といえるだろう。

（2014年11月16日）

低い姿勢で時代と対峙し解析する

『思いつきで世界は進む——「遠い地平、低い視点」で考えた50のこと』

●橋本治＝著／ちくま新書

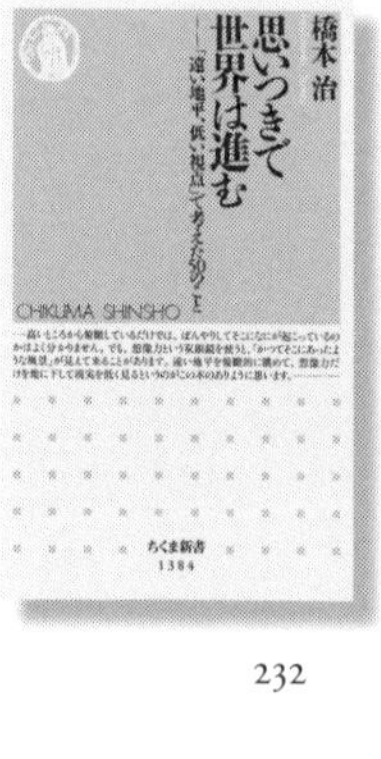

２０１９年１月に長逝した橋本治の遺著の一つをここに紹介したい。筑摩書房のＰＲ誌『ちくま』に２０１４年７月号から連載された50本分の時評集だ。

新書の見開き４ページで一つのテーマを論じた本書を、２００冊超といわれる橋本の作品群からあえて推すのはどうよ、と冥界の著者から叱られそうだが、同時代的に橋本治体験をしてこなかった人々にとって、新書から入るのは悪くないはず。橋本の名を一躍有名にした１９６８年の東京大学駒場祭ポスター、「とめてくれるなおっかさん　背中のいちょうが泣いている　男東大どこへ行く」の文字列に、いなせな博徒の半身を配した絵柄を、世の中、すぐに想起できる人だけではないからだ。

本書が対象とする時期は、安倍晋三内閣のもとで集団的自衛権の解釈改憲がなされた

2015年、また、本来であれば政権が倒れておかしくなかった森友・加計学園問題が起きた2017年を含む。ならば、いかなる批評が展開されたのかと勇んで読めば、そこは橋本、床屋談義や居酒屋政談とは無縁の文章が綴《つづ》られている。自ら「遠い地平を俯瞰的に眺めて、想像力だけを地に下ろし」低い姿勢で時代に対したと述べている通り。

政治を「『オヤジの背脂』を注ぎ足し注ぎ足し続けたドロドロのツケ麺のスープ」に譬《たと》えた橋本。つけ麺党にはとんだとばっちりだが、批評は現実と斬り結ぶ必要はないと宣《のたま》う。そのココロは「現実はいつでもいい加減」だからだと。「非現実的な発言」たる批評は「非力だからこそ力を持つ」というのだ。

うーむ。「間口が広くて出口が狭い」（作家・岸川真氏の評）橋本節全開で難しい。よって具体的な論の展開を見ておこう。ある日橋本は、俗にいう「おやじ系週刊誌」を見て驚く。そこにかつてあったはずの社会への関心は失《う》せ、金と健康の特集が踊っていたからだ。また、若い世代による安倍内閣支持率の高さにも驚く。この二つの驚きを低い姿勢で解析する橋本は、自らの高校時代の頭の具合を思い出すところから始める。

頭の容量が決定的に足りない時分、「なにが真実か」を問う膨大なデータを注入され、結論を言えと急《せ》かされたらどうなるか。きっと腹が立つだろう。そして怒りの矛先は、当の首相周辺へは向かわず、データを注入し、さあ考えよと促した側に向けられるのではないか。こう問いかける。これが第一章「バカは忘れたころにやってくる」の考察だ。怒りを向ける方向を間違えれば知性は育ちませんとの厳しい内容だが、そこは橋本、自分も「そこら辺に転がっている日本国民の一人」なので、と澄ましているのだ。

もう一つ例を。大ヒット映画『アナと雪の女王』の劇中歌「ありのままで」を論じたくだり。またしても橋本は驚く。この歌をあれほど多くの人が熱唱したということは、日本にあって人に言えない厄介な秘密を抱えていると「自認する人」がとても多いことになると。「特徴を持たない普通の人」が圧倒的に多いと思ってきた橋本にとって、「生きて行くうえで自分を押し殺して苦しがっている人」がこんなに多いとは驚きだったろう。

おわかりのように、この時評には毒がある。「自認する人」「苦しがっている人」の中に棲《す》むという不幸を橋本は認めていないからだ。だがそれは、彼らを見捨てたゆえではない。不幸なら、こんな世界はうんざりだと言って、「私」と「彼ら」とが「私たち」になり、世界に対峙すればいいのに、と大きく温かい手を差し伸べているからだ。ありがとう、橋本治さん。

（2019年7月21日）

II　震災の教訓

激甚災害に襲われた時、被害の中心地から発出される通信量がごく短い時間ではあれ、限りなくゼロに近くなることを、私たちは１９９５年の阪神・淡路大震災、２０１１年の東日本大震災の経験で知った。厳しい真実が判明するための「無音」状態の静寂に耳を澄ましている時の気持ちは忘れない。

今、世界と日本で起きている事態も、一見、普段と変わらぬ日常が続いているように見えるが、先に述べた「無音」状態と同じなのではないかと恐れる。本書でウルリッヒ・ベックは、人間にとって、希望が持てるヘーゲル的シナリオと、絶望の未来が過去の歴史から約束されているカール・シュミット的シナリオの二つを描いた。前者は、仮定としてのカタストロフィが人類にとって不可避ならば、人類の利害は共通したものとなるから、新たな責任の共同体が形成されてゆくだろうというもの。一方、後者は、管理不能なリスクを管理しうると人々に信じ込ませるような政治的怪物が登場し、人々が全権委任をしてしまう未来となる。現在の日本と世界は、この二つのシナリオの間で彷徨《さまよ》っているように見える。対抗するエネルギーが拮抗《きっこう》しているゆえに、外部からは「無音」に聞こえるのではないか。

〝現代のリスク〟とどう向き合うか

『ユーロ消滅？　ドイツ化するヨーロッパへの警告』
●ウルリッヒ・ベック＝著／島村賢一＝訳／岩波書店

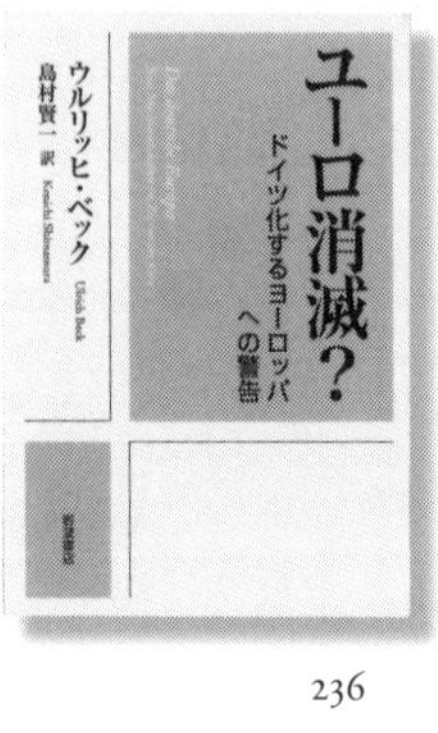

２００９年のギリシャの財政危機に端を発したユーロ危機。重い内容を書いているはずなのに、わくわくしながら読み進められる本だ。作家の山田詠美がどこかで述べていた。ページをめくらせるのがエンターテインメント。ページを読む手を止めて考えさせるのが純文学。その伝でいえば本書はリスク社会論のエンターテインメントといえる。

読者に読む快楽を与えてくれる理由の一つが、達意の訳者・島村賢一氏の技に負っているのは間違いないところだろう。いま一つは、著者が、一見異なった事象の背後に潜む構造上の共通性を読み手に示して見せたからだろう。一過性の知的興奮が持続的な理解へと高められた時、ひとは愉《たの》しいと感ずるものだ。さらなる愉悦は、ミュンヘン大学で社会学を講じ、チェルノブイリや福島の過酷災害について時宜に適した発言を行ってきた著者が、

「制御が利かなくなった近代というもの」について腰を据えて論じ、なおかつ、希望の持てる未来のシナリオを指し示してくれたことから生まれる。成熟した大人の専門家が絶望していない時、ひとは安心して微睡《まどろ》める。

近代とは何かを考えてきた学問の方法に社会学がある。評者が専門とする歴史学などは、何をもって近代の画期とするかを考え、共同体の解体、身分制の解体、市場を軸とした再生産などを、その答えとしてきた。リスク社会学が対象とする時代は、人間社会の成熟と共に著しい進歩をとげた経済＝技術活動によって、地球上の全ての人々にとって安全地帯といえる場所がなくなった現代である。

普通の人々にとって、その複雑な稼働システムなど知るよしもない原発は、爆発しないとは言い切れない。金融工学によって精緻化された金融市場も、いつ暴落するかわからない。このように、仮定としてのカタストロフィを予期しつつ生きねばならぬ時代が現代社会にほかならない。

テロや環境危機（原発事故を含む）などの現代のリスクは、ある意味で全ての人々を公平にグローバルにのみこむ。そのような時、従来型の国民国家単位での政治によって国家が地球規模のリスクを回避することはできない。国内政治／国際政治という区分けが無意味となる社会となってしまえば、人々は不断に「自分の生活と、世界の他の地域における他者の生活との不愉快な関係」を日々体験せざるをえなくなる。ここに、ベックが新たな責任の共同体の可能性をみる根拠がある。

たしかにユーロ危機は、ギリシャの経済的運命がドイツ連邦議会の決定に左右されてよいのかといった、民主制の根幹にかかわる深刻な問題を欧州全体につきつけた。一方、スペインなどの南欧諸国が抱くドイツ像は、「富者と銀行には国家社会主義で臨むが、中間層と貧者には新自由主義で臨む」手前勝手な国、というものだろう。対立は根深い。

ただ、カタストロフィの予期が、公衆に共有されるようになれば、変化は案外早いのかもしれない。各国憲法の保障する議会の予算議決権や国家による銀行への監督権そのものが、何らかの欧州連合機関に移譲されるところまで行くのは困難にしても。ベックは明るい未来像をヘーゲル的シナリオと名付けた。

だが、反対に転ぶ可能性も捨てきれない。カール・シュミット的シナリオと名付けられたそれは、リスクの脅威が全権委任による政治的怪物を生み出す未来像となっている。ドイツが負わされた歴史的な責務は今回も重い。

（2013年4月14日）

Ⅲ 天皇と天皇制

この20年間で、天皇と天皇制について新たな分析視角や一次史料が次々に登場した。2011年に宮内庁に公文書管理法が適用されたことで、宮内庁保有の17万件余の一次史料が目録と共に閲覧可能になり、2014年には宮内庁編修『昭和天皇実録』も公開された。2016年には明仁天皇（現・上皇）自身による譲位の希望が表明され、2019年5月1日、徳仁天皇への代替わりが行われた。王（皇帝、天皇）には自然的身体と政治的身体の二つがあるという擬制下に執行されてきた近代の天皇制で初めて、天皇の自然的身体と政治的身体が一致しない時空を、私たちは明治以降初めて経験しつつある。

宮内公文書館の史料と『昭和天皇実録』公開によって、昭和戦前期までの宮内官僚や天皇・皇室が何を考えて行動していたのかが、かなり明らかになってきた。ようやく、近代の天皇・天皇制を、前近代のそれと比較し考察することが可能になった。古代から近代までの継承原理や、鎌倉・室町・江戸それぞれの幕府と朝廷との関係も比較可能となった。そうすることで、古代から近代までの日本の歴史において、天皇・皇室が果たした対外的な役割を分析することが可能となる。ここでは、大きな構えの諸作品を選んでみた。

天皇の気持ちをなぞる読書体験

『昭和天皇の戦争　「昭和天皇実録」に残されたこと・消されたこと』
●山田朗＝著／岩波書店

２０１６年夏、天皇が退位の希望を表明したことは世の中を驚かせた。だが、そもそも、現行の皇室典範が制定された終戦からほどない時期には、皇位継承の要件として、崩御の他に退位の規定を置くべきだとの意見も有力に唱えられていたのだ。

結局それが見送られたのは、退位規定を置けば、昭和天皇の戦争責任論が起こりうるとの懸念からだった。これはあながち日本側の杞憂《きゆう》ではなく、アメリカの一部には、天皇が自ら退位した場合、裁判にかけるべきだとの考えのあったことなど、史料から明らかになっている。

また、当時、侍従次長であった木下道雄もその日記『側近日誌』（高橋紘編、中公文庫）に、天皇の戦争責任についての、ある侍従武官の見立てを書き留めていた。いわく、「国家の戦争につきロボットにあらざる限り」、天皇には責任があると。天皇の近侍者の見立ては興味深い。

先の大戦における昭和天皇の干与をいかに評価するのか。本書の書き手は、天皇が意外にも積極的に戦争指導に干与していた史実を、最も早くから実証的に明らかにしてきた研究者である。その著者が、宮内庁編纂の天皇の正史たるべき『昭和天皇実録』を読み込み、いかなる視角から実録は書かれたのか、あるいは、省かれたと思われる史実は何かを考察したとあっては、書店へ走るしかない。

予想に違わない本だった。東京書籍から刊行中の『昭和天皇実録』を積み上げ、本書を傍らに置き、戦争の時代を天皇の戦争指導という側面からたどってみるのは、よい余暇の使い方だろう。日本軍の損害について、戦況奏上を受ける天皇の気持ちをなぞれる読書体験など、そうそうはないはずだ。

明らかにされた点を紹介しよう。国務に関する天皇の行為が、全て国務大臣の輔弼によるとは憲法上の規定があった。これに従い、国家の最高意思決定の場である御前会議においては、天皇は発言しないとの慣例が、1938年1月10日、政府側の要請によって作られた。制度化の最初の事例について実録は、遺漏なく記していて貴重だ。

一方、統帥用兵の意思決定の場である大本営会議の様子は異なっていた。陸海軍の将官と天皇が臨席する大本営会議では、天皇からの発言を歓迎する旨、軍部側が要請した事実が、実録の1937年11月27日の条で明らかにされている。政府の前では沈黙し、軍部の前では発言を許された、対照的な天皇像が鮮やかに浮かんでくる。

防衛省戦史研究センターに所蔵されている、旧軍の一次史料に記された天皇の発言と、同じ典拠で書かれた実録上の記述とを多数比べてみる著者の手並みは堅実なものだ。例えば、東部ニューギニアをめぐる日米両軍の激闘期の1943年8月5日、参謀総長・杉山元が戦況奏上した場面。参謀本部作戦課長の真田穣一郎の業務日記には、米軍をぴしゃりとたたくことはできぬか、との強い言葉で天皇が督戦するさまが活写される。しかし、実録では、杉山に謁を賜《たま》い、奏上を受けられる、といった淡々とした記述で終わり、戦争指導に積極的に干与する天皇像は、慎重にも避けられている。

それでは、あえて省かれたと見られる史実にはいかなるものがあったのか。著者は、領土の拡張や資源の収奪に関する政策がそうだと言う。1943年5月31日決定の「大東亜政略指導大綱」の例示は見事だ。大綱には、マライ、スマトラ、ボルネオ等の地域を日本の領土に編入し、重要資源の供給地とするとの一文があるが、実録ではそこが省かれている。実録で何が消されたのか、それを本書から確認するのも、歴史の醍醐味《だいごみ》だろう。

（２０１７年２月26日）

時代ごとの特徴を簡潔に学ぶ

『皇位継承　歴史をふりかえり　変化を見定める』

●春名宏昭、高橋典幸、村和明、西川誠＝著／山川出版社

２０１９年の春は常にもまして慌ただしく感じられた。４月の新元号決定、５月の天皇代替わりと無関係ではあるまい。新天皇の即位を天皇崩御の場合に限った点で、旧皇室典範と戦後の法律としての新典範は同様だったが、２０１７年に制定された特例法により、近代の天皇では初の退位（譲位）が今回実現を見た。

今や私たちは、天皇の自然的身体と政治的身体が一致しない時空を、明治以降初めて経

験しつつあることになる。身体を二つに分けるのは、歴史家E・H・カントーロヴィチによって見いだされた、16～17世紀英国の王権を正統化する論理としての法的擬制にちなむ。一つは通常の肉体であり、衰えもすれば死にもする自然的身体。いま一つは王を頭とし臣民を四肢とするような組織であり、目に見えないが永続性を持つ政治的身体（参照、小林公訳『王の二つの身体』ちくま学芸文庫）。

今回の譲位が近世の光格天皇以来約２００年ぶりだとすれば、前近代まで普通だった譲位は、なぜ近代になって法的に禁じられたのか、その理由など知りたい方にお薦めしたいのが本書にほかならない。

本書は、高校の日本史教科書等の出版でその名を知られる山川出版社が、教員を主たる読者と想定して発行している雑誌『歴史と地理』連載の論考を元に編んだものだ。古代・中世・近世・近代の4章立てで、皇位継承の在り方に特化し、その変化の様子や時代ごとの特徴を百余ページのコンパクトな本にしたこと自体にまずは意義がある。

各時代の専門家（古代は春名宏昭氏、中世は高橋典幸氏、近世は村和明氏、近代は西川誠氏）が現在の研究水準を踏まえ、学校現場の教授者に向けて書いたとあれば、信頼性という点でこれに優《まさ》るものはあるまい。本書を右に置き、左に『ここまで変わった日本史教科書』（吉川弘文館）等を置いて読めば、より深い理解が得られるはずだ。

例えば、今の教科書は中世の始まりを鎌倉幕府成立ではなく、院政前史としての後三条天皇即位（1068年）に置く。本書も摂関家主導の継承方式の終焉《しゅうえん》としてこれを位置づけていた。院政とは、譲位した太上天皇・院が、現天皇への父権を根拠に国政を掌握する政治形態であり、「意中の子孫に皇位を伝え」ようとの強い意思によって支えられる方法だった。だが、父子間にも争いは生じる。武力を動員しての正邪の決着が要請されるゆえんであり、そこに武家政権が、調停・廃立・皇統統一に干渉する必然が生まれる。天皇家と二つの幕府の五百余年の関係が簡潔に叙述されるさまは圧巻。

天皇の存在がほぼ確実となる5世紀の「倭の五王」時代から、ほぼ六百余年をカバーした古代史部分も、時代の特徴をよく摑んでわかりやすい。譲位の制度化がなされるまでは血の抗争が続いた古代。天皇の即位年齢が40歳ほどだったとの指摘などは、実に説得的だった。

近世はその初頭での天下人と朝廷間に結ばれる関係がダイナミックだ。豊臣秀吉は正親《おおぎ》町《まち》天皇から後陽成《ごようぜい》天皇への譲位を、徳川家康もまた後陽成天皇から後水尾《ごみずのお》天皇への譲位を演出した。天下人は自らの覇権を視覚的に誇示するため、政治的一大イベントとして継承儀礼を執行する。また幕末期、条約勅許をめぐる孝明天皇の譲位の発意は、近代天皇制の設計者であった伊藤博文や井上毅に強い教訓を与えただろう。

近代になって譲位が否定された理由は、天皇の意思が政治、特に内閣の行動に制約を与えないように企図した伊藤の考えによる。古代から近代まで、天皇の強烈な存在感を読んできた者には、天皇の意思の封じ込めを図った伊藤の切迫感がよくよく腑に落ちるのである。

（２０１９年６月９日）

皇室活動のあるべき姿を考えるヒントに

『皇室財産の政治史　明治二〇年代の御料地「処分」と宮中・府中』

●池田さなえ＝著／人文書院

人にものを教えるのは難しい。「これを教えなければ」と身構えれば相手は逃げる。だが、面白さのオーラを全開にしていれば、何かは伝わる。その伝で言えば、本書ほど、研究の面白さを読み手に伝えることに成功している学術書は近年まれなのではないか。

研究書を読んでいて笑ったのも初めての経験で、いかなる人がこの本を書いたのかの興味もわく。勝手な想像だが、『更級日記』の主人公が『源氏物語』を手にした喜びを「得て帰る心地のうれしさ」と書いた場面、あの場面の女主人公の姿がなぜか頭に浮かんだ。

著者が『源氏物語』のかわりに手にしたのは二つ。品川弥二郎と御料地だ。共に説明がいるだろう。品川といえば、長州閥の山県有朋系官僚として、また教科書的には、初期議会期の第2回総選挙で激しい選挙干渉を行った内務大臣として知られていよう。だが著者が描くのは、明治初年、留学先のドイツで感得した林政・産業制度への深い理解を基に殖産興業策に邁進した技術官僚トップの品川弥二郎、自称「やじ」だ。

著者が内務大臣時代の品川ではなく、その前、ちょうど明治憲法が発布された1889年、宮内省御料局長となった時期に焦点を絞ったのは慧眼だろう。御料地とは、皇室財産の中の広大な山林・原野・鉱山等の不動産のことで、御料局長はその管理部署のトップだった。

当時の御料地以外の皇室財産としては、国庫が支給する天皇家の歳費と、株券・有価証券等の貯蓄部分（御資《ぎょし》）があった。現在の皇室財産は国に帰属し、皇室費用は国会の議決によると憲法で定められている。よって、皇室財産とは、戦前と戦後で一変した領域といえる。立憲制度と皇室制度の二つを創出したのは伊藤博文だったが、帝国議会開設前に伊藤は、民権派が多くを占めると予想される議会からの皇室への干与を遮断すべく、国庫から皇室財産部分を切り離し、自律化を図っていた。

賢明な読者はすでにお気づきだろう。山林・産業分野に自信を持っていた品川が、広大な山林と良質な鉱山からなる御料地経営を任される。品川と御料地という二つのテーマがここに統合されたといえる。品川の得意やいかに。だからこそ、後に御料局長を辞め内務大臣になれと打診されるや、「やじハ謹テ念仏《ツツシン》」でも唱えて引きこもります、との置き手紙を山県に残し、那須塩原の別荘に遁走《とんそう》。あわてた山県が那須まで追いかけて翻意させるという一幕もあった。こんな明治人もいたのだ。

著者は、品川がいかなる御料地経営構想を持っていたかを解明する一方、品川と対立していた岩村通俊など他の宮内官僚の構想を明らかにし、比較することで、当時の人々の抱く皇室財産観を炙《あぶ》り出した。そこからわかったことは意外にも、皇室尊崇の精神や、皇室財政基盤の磐石化《ばんじゃく》といった話が、登場してこないということだった。

御料鉱山は、日本の鉱工業の模範的存在たるべきで、技術も最先端であるべきだと品川などは意気込んでいた。だが、品川と異なる考えを持つグループからはクールな反論が返ってくる。いわく、そのような役割を御料鉱山に求めようとするのは、皇室財産の使途を国家の目的と混同する行為だ、との反論である。本来、国家がなすべき行政行為を、皇室財産によって代替するのは筋違いだというのだ。

一切、神がかった議論に落ちないのが面白く、あるべき皇室の活動とは何なのかという、現在に至る問いを考えるヒント満載の必携本である。

（２０１９年９月１日）

日本の屈折姿勢
背景に列強への警戒心

『朝鮮王公族――帝国日本の準皇族』
●新城道彦＝著／中公新書

２０１５年は戦後70年の節目にあたるので、安倍晋三首相（当時）が夏に発表する歴史談話の中身に注目が集まっている。５月初めには、欧米で活動する日本研究者１８７名が声明を発表し、戦後日本の平和の歩みは全世界からの祝福に値するものの、いわゆる「慰安婦」をめぐる歴史問題では、日本と東アジア諸国間に火種が残されているとした。

著者は、これら現実世界から距離をとり、２０１１年から施行された公文書管理法によって劇的に利用が進んだ宮内庁宮内公文書館所蔵の韓国併合関係書類等の新史料を丹念に読み込み、斬新な視角で本書を描いた。

この本は、宗主国対植民地といった枠組みをとらない。それらはすでに多く書かれ、世に存在する良書に譲るとばかりに著者は、１９１０年になされた日本の韓国併合という事

象を別の角度から捉える。

すなわち、天皇を戴《いただ》く大日本帝国という一つの帝国が、皇帝を戴く大韓帝国（1897年から国号を大韓とする）という一つの帝国を併呑《へいどん》したこと、これを併合の肝と見なしたのである。

併合直前、寺内正毅率いる現地の統監府側と東京の内閣側との火急の交信は、韓国皇帝・帝室の処遇をめぐってなされた。内閣側が用意した「大公」ではなく、韓国側の要求する「王」の呼称を採用すべきだとした寺内の論が勝をしめる経緯が、史料から鮮やかに導かれる。

事実、併合条約と明治天皇の詔書とによって、韓国帝室に尊称と名誉と歳費を与える旨を日本は確約した。皇帝であった純宗《スンジョン》、その父の高宗《コジョン》太皇帝、皇太子の李垠《イウン》などの帝室嫡流を王族とし、皇帝の弟などの傍系を公族とし、本書のタイトルでもある朝鮮王公族という呼称を韓国帝室に与えている。王公族は日本の皇族と同じ礼遇を受け、天皇家に次ぐ150万円の歳費をも受けた。当時の日本の各宮家の皇族費が4万～10万であったことを考えればその額の大きさがわかるだろう。

なぜ日本の当局は、大韓帝国皇室を「厚遇」しようとしたのか。このように問う著者の頭には、1879年の琉球処分の際、日本が琉球王を華族とした対照例が浮かんでいるのだろう。華族といえば聞こえはよいが、皇族との対比では臣民の側に分類される。あるいはまた、著者の頭には、1898年のハワイ併合の際、アメリカがハワイ王を市民に落とした例なども浮かんでいるのだろう。

ここまで読んでこられた方の中には、日本の安全保障上の都合によってなされた併合であれば、この程度の「厚遇」は当然だと思われた方もいるかもしれない。だが著者の問いに意義があるのは、このように問うことで、当時の日本の置かれていた歴史的な環境が浮き彫りになるからである。

著者は言う。「併合を国際的な『合意』として実現するために、条約締結権を持つ皇帝やその一族を懐柔しなければならなかった」のだと。日露戦勝によって韓国を保護国化した日本だったが、併合後に武力闘争や暴動が起これば、隣接する満州（現・中国東北部）の問題にも絡み、列強からの干渉を招きかねなかった。条約を締結する主体だったからこそ韓国帝室を厚遇した日本の屈折した姿勢には、西欧近代の主権国家体制のルールに従順であって初めて独立を許されてきた日本の過去が色濃く投影されていた。

本書の後半では、がらりと趣向を変え、帝国日本の中で家の維持に苦悩した朝鮮王公族の個々の姿を描く。そこに展開される、人間的な、あまりに人間的なドラマは、読み手を魅了してやまないはずだ。

（2015年5月17日）

Ⅳ 戦争の記憶

現代を生きる私たちは、近代の始まりとされる明治維新期から第二次世界大戦の敗戦に至る昭和戦前期までの「近代の歴史」を知っておく必要がある。その理由の一つに、日本の近代の行き着いた先が、アジアの人々や自国民を存亡の危機まで陥れた悲惨な戦争であったこと、それを忘れないためなのは、もちろんのことだ。

ただ、より根源的な理由がある。日本国憲法は、昭和戦前期までの日本の「近代の歴史」を支えていた国家の基本秩序、統治権の総攬者である天皇を戴く政治体制（国体）が、第二次世界大戦に参戦した連合国の物理的な軍事力によって書き換えられたことで生まれた。戦争の究極の目的は、相手国の社会の基本秩序を書き換えることにある。

このような考え方はルソーに起源を持つが、このくらいの腹の据わり方で歴史と戦争を眺める態度こそが、より柔軟な見方を私たちにもたらしてくれると思われる。例えば、極東国際軍事裁判を、事後法により戦争責任者が刑事罰に処された不当なものと呪詛《じゅそ》するのではなく、「血と涙から生まれた歴史の宝石」と捉える井上ひさしのスタンスなど興味深い。ここで取りあげた作品の書き手たちの腹の据わり方をぜひとも存分に味わってほしい。

「歴史の宝石」を記憶するために

『初日への手紙——「東京裁判三部作」のできるまで』
●井上ひさし＝著／白水社

１９６０年代に子ども時代を過ごしていなくとも、人形劇「ひょっこりひょうたん島」の映像やメロディーが浮かぶ方は多いのではないだろうか。２０１０年に長逝した井上ひさしの過去を思う時、評者の頭の中では宇野誠一郎作のこの名曲が鳴り響く。

本書は、井上ひさしの新国立劇場公演「東京裁判三部作」のプロデューサーだった古川恒一の元に、井上が送った膨大なファックスを中心に編まれた。東京裁判をテーマに渾身《こんしん》の作を書くため井上は常にもまして資料収集に努めていたが、その過程で描かれた年表や見取り図、打ち合わせの席上での発言要旨なども収録されており、貴重だ。

初日が刻々と迫る中、何度も構想を練り直し、完璧と信じるものへと作品を完成させてゆく。その鬼気迫る過程が本書の編者である古川の手を経て初めて明らかにされた。芝居

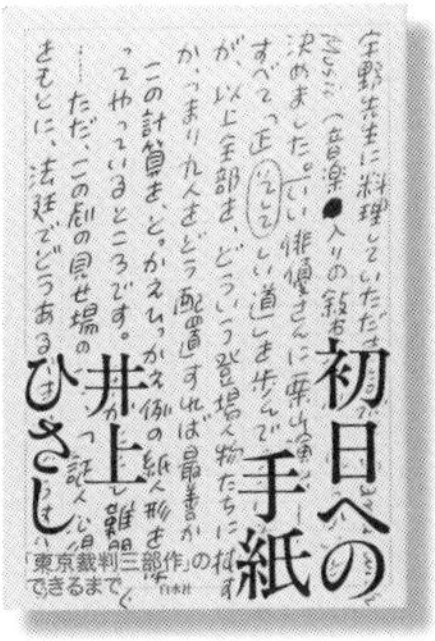

が果たして成立するだろうかという「不安と恐怖で、一字打ったびに、緊張の余り吐きそうになっております」と書いた井上。また「いまの小生は、古川さんのFAXにすがって書いているといっても過言ではありません」とも書く。本書の題名「初日への手紙」は、初日に間に合うのか、と震撼しつつファックスをやりとりしていた作者と制作者との間で生じた、緊迫と信頼とを二つながら伝える最適のタイトルだといえるだろう。

井上ひさしが、『夢の裂け目』『夢の泪《なみだ》』『夢の痂《かさぶた》』からなる東京裁判三部作で表現したかったことは何だったのか。まさに舞台裏の生の声が世に出た意義は大きい。２００１年5月8日に初日を迎えた三部作中の第一作『夢の裂け目』について井上は、自らの意図を次のように語っている。

ぼくのモットーは「記憶せよ、抗議せよ、そして生き延びよ」です。われわれは全てを記憶する記憶力がないので、50年前を忘れ、いつか来た道に戻ってしまう。……記憶の固定化をしないといけない。……劇場はその記憶装置です。

記憶を取り戻す場所、それが劇場だと喝破した井上。『夢の裂け目』では、角野卓造扮《ふん》する紙芝居屋の親方「天声」が東京裁判の検事側証人として喚問される騒動を描く。上を下への大騒ぎ、家族と仲間うちで当日に備えた模擬裁判が始まって……。井上戯曲の王道に従って舞台は進む。だが、天声はしだいに、日米合作の裁判の本質が、陸軍を中心とした軍閥に全ての戦争責任を負わせ、天皇と国民を共に免責することにあるのではないかと気づく一方、庶民としての自らの戦争責任にも思い至る。

井上は、開戦時と終戦時の外相・東郷茂徳被告の弁護人だった西春彦の資料を入手し読み込むことで、弁護方針の本質に迫っていった。その見立てが正しかったことは、国立公文書館で２００７年から公開が始まった極東国際軍事裁判資料中の弁護側資料によって確認できる。それにしても、裁判に証人として立った四百余人の中から、天声のモデルである教育紙芝居協会会長の佐木秋夫の存在をよくぞ探し当てたものと思う。佐木は検事側証人として実際に１９４６年６月に出廷。１９４１年７月には大政翼賛会の指示で自らが作成した軍国紙芝居を演じてみせた人物だった。

井上ひさしは東京裁判を「血と涙から生まれた歴史の宝石」と評価していた。その理由の一半は、裁判の過程で「いつもなら闇から闇へ葬られていたこの国の秘密がすっかり明るみに引き出され」「ものを考えるときの基本資料」が後世の日本人に残されたからだという。味わうべき言葉ではないか。

（２０１３年12月８日）

「個人として尊重される」かどうかを問い掛ける

『なぜ戦争は伝わりやすく平和は伝わりにくいのか
ピース・コミュニケーションという試み』
●伊藤剛＝著／光文社新書

直球ど真ん中のタイトルだ。書店でこのタイトルを眺め、はて著者は誰かと目を移し、例えばそこに評者の名を認めたならば、人は速攻で本を棚に戻すに違いない。日本近代史を長く講じてきた評者のような人間がこの題名で本を書けば、愚痴となること必定だからだ。

だが、書き手が伊藤剛であれば話は違う。２００６年にＮＰＯ法人「シブヤ大学」を設立した、その人ならば。

渋谷の「街が、まるごとキャンパスです」との謳い文句に、当初は当惑していたはずの大人たちも、西武渋谷店・東急ハンズ・渋谷ヒカリエなどの商業施設内のスペースや公共の社会教育施設を地道に利用し尽くす、その運営手腕を知れば、伊藤の取り組みの凄《すご》さが腑に落ちるはずだ。多くのボランティアによる運営スタッフや寄附も、伊藤の事業を豊かに支えている。

伊藤には、「伝えたいコトを、伝わるカタチに」する、デザイン・コンサルティング会社代表の顔もある。伝えることと、伝わること。たった一文字の違いだが、結果を見れば目の眩《くら》むような差異が生じてしまう業界を生きてきた伊藤。その彼を平和構築の世界に引き込んだのは、紛争解決人にして東京外国語大学大学院教授の伊勢﨑賢治だった。伊勢﨑は伊藤に、コミュニケーション業界の技をこの学問領域に活かすにはどうすればよいかと問いかけた。伊勢﨑と共に作り上げた授業の集大成が本書にほかならない。

序章から一気に引き込まれる。伊藤がまず行ったのは、私たちの頭に描かれる、戦争と平和の図像的なイメージの確認だった。常に対語として用いられる戦争と平和。インターネットの画像検索でわかったことは、戦争には具体的な「絵になる」画像が無尽蔵にあるのに、平和にはそれがないということだった。平和が、他人と共有できるイメージを欠く言葉だという自覚から始めねばならない。

戦争と平和という対語の特質を押さえた後、伊藤は、戦争と平和の境界線を考える作業に取り掛かる。戦争と平和の境界線を、世界約30カ国の人々に、「〜かどうか」という形式で答えて貰《もら》った結果が興味深い。ある日本人は、その境界線を「誰でも、いつでも、どこにでも自由に行けるかどうか」の間に引いた。あるドイツ人は、「本当の自分になることが許されるかどうか」という部分に境界を見た。あるアメリカ人は、「全員が過度に一方向に向いているかどうか」だと答えた。

これらの回答を見ると、戦争と平和の境界という問題には、人が「個人として尊重される」状態に置かれているか否かとの根源的な問いが内包されているのだと気づかされる。本書を読み、現行憲法第13条前段が「すべて国民は、個人として尊重される」とし、「人」ではなく「個人」と明記していることの重要性を再認識させられた。

既にこの本文中でも何度も用いてきた「コミュニケーション」の意味を、ここで押さえておきたい。情報伝達を意味するインフォメーションとは異なり、コミュニケーションとは、伝える相手が誰かを認識し、その相手によって情報の伝え方を変える行為にほかならない。
伊藤は言う。議論の出発点をAとし、結論をZとした時、AからZまでの流れを論理的に説明するのはプレゼンテーションだと。そして、コミュニケーションとは、出発点が本当にAでよいのか、Bではないのか、それを見定める行為なのだと。戦争と平和を考えるため、議論の前提を揃える。これは看過されがちだが、重要な論点だ。

（2015年10月25日）

占領がもたらす容赦ない「普遍的苦しみ」

『古都の占領　生活史からみる京都　1945－1952』
●西川祐子＝著／平凡社

この本を手に入れた時のことはよく憶《おぼ》えている。土砂降りの雨の夕方、書店や古書店か

軒を連ねる神保町は東京堂書店の平台で見つけた。手に取った時、「白地に赤く日の丸染めて」という唱歌の旋律が、なぜかふと頭に浮かんだ。

タイトルに「古都」とあるからには京都の話だろう。だが京都は、先の大戦でも激しい空襲がなかった雅《みやび》な千年の都だったのではなかったか。その京都が、「占領」という言葉と結ばれる不穏さが、私の意識の古層を揺るがしたものとみえる。

読み始めるとページをめくる手は止まらず、気づけば朝までかかって500ページ超の本を読んでしまっていた。本書は正真正銘の研究書だが、ル・カレの『寒い国から帰ってきたスパイ』（ハヤカワ文庫）や、グレアム・グリーンの『名誉領事』（全集／24巻、早川書房）を読んだ時と同じカタルシスを与えてくれた。名作の誉れ高い両作は、国家というものの愚かしさを嫌というほどわからせてくれるだけでなく、人間が信頼に足るものだとの温かな真理をも読み手に届けてくれるエンターテインメントだった。本書は研究書でありながら両作の向こうをはれている。国家と人間に対する著者の鋭い洞察がそれを可能にしたのだろう。

著者は、日本とフランスの文学の他、ジェンダー学と生活史を軸に、長らく京都に活動の場を置いてきた研究者である。建築家・原広司が設計した京都駅をズバリ、「河のほとりにたつ定期市のように、見知らぬ者同士が交流する劇的な空間」と評せる京都人なのだ。

その京都も、日本の他地域と同じく、1945年9月2日の降伏文書調印から、1952年4月のサンフランシスコ条約発効までの7年間、連合国軍の占領下に置かれた。本書の核となる章で著者は、占領下の京都において、米軍が起こした強盗殺人・ひき逃げ・爆発事故など、あらゆる事件を、京都府庁文書中の見舞金請求一件書類から歴史的に再現し、検証した。むろん、見舞金を払うのは米軍ではなく日本側だ。史料が最もよく残された京都における占領軍の犯罪事例は、読んでいて息苦しくなる類いのものだ。

著者自身、占領された京都の記憶を長らく忘れたままに生きてきたという。なぜ忘れていたのか。敗戦時に国民学校2年生、1937年生まれの著者の研究者魂が動いた瞬間だった。

著者の切れ味鋭い考察はその疑念から始まる。占領の究極的な本質が、占領された自覚を被占領下の人々に抱かせない点にあるからだと喝破した著者は、返す刀で、アメリカの歴史学者ジョン・ダワーが喚起した議論に肉薄していく。

2001年の同時多発テロに対し、アメリカはイラク空爆で応じ、イラク占領時にはこう述べていた。いわく、イラク民主化をめざす本占領は、第二次世界大戦後になされた日本占領と同じく、必ずや成功裡《り》に終わるはずだと。この声明に鋭く反発したのがダワーだった。米国のイラク占領に比すべきなのは、大戦後の日本占領ではなく、むしろ、日本が傀儡国家・満州国を建国しようとした営為そのものだと米政府を批判した。

多くの人が説得されてしまいそうなダワーの論に、著者は違和感を抱く。大事なのは、良い占領か悪い占領かではない。戦争や占領というものの、普遍的な「容赦のない仕組み」こそ解明されるべきものだと思い定め、調査を開始する。判明したのは、先の大戦の終盤から現在に至るまで沖縄が背負わされてきた苦しみと、占領下の京都が味わった苦しみが同じ種類のものだという、普遍的な真理だった。

（2017年10月15日）

秋丸機関をめぐる神話にメス

『経済学者たちの日米開戦　秋丸機関「幻の報告書」の謎を解く』

●牧野邦昭＝著／新潮選書

ハワイなどではなくアメリカ本土の飛行場に降りたち、高速道路を走った経験がある方なら、「このような国と戦争をしたのか」との感慨に打たれたことがあるのではないか。日米戦争は１９４１年12月に始まった。そこで、日中、日露、日清と時代を遡《さかのぼ》って戦争を思い出せば、敵国が、米国・中国・ロシアなど、いずれも大国だったと気づく。

そうであれば、なぜ米国のような圧倒的な技術と資源を持つ国との戦争を決意したかとの問いには、二つの答えがあると気づく。一つは、日本が米国の力を知らなかったというもの。二つは、米国の力は知っていたが、大国ロシアにも勝ったといった何らかの認知によって上書きされてしまったというもの。

本書は第二の立場、敵国の力は知っていたとするが、ロシアにも勝ったからといった歴史の誤用説などに逃げてはいない。本の帯には、「正確な情報」がなぜ「無謀な戦争」につながったのかとの惹句が踊るが、誰もが知りたいこの問いに本書は正面から挑み、説得的な答えを導いた。戦争を回顧する夏の最終盤にふさわしい書といえよう。

1941年10月末から11月初めの大本営政府連絡会議において、物的国力判断がなされたのはご存じだろう。都合のよい数値を並べた企画院や軍部の主張が勝ち、開戦は決定された。この経緯を知る者は、石油1対777といった日米の格差を会議の席上で開陳し、数値を用いて無謀な開戦を阻止しようとした機関などなかったのか、と誰しも思うだろう。

本書が主題に選んだ、陸軍省戦争経済研究班（秋丸機関）こそ、そのような振る舞いが可能な機関だった。同班は1940年1月に設置され、有数の経済学者や官僚を擁し、5月から敵国経済の最弱点を探り始めていた。

班を率いたのは、関東軍で「満洲産業開発五ケ年計画」に任じていた主計将校・秋丸次朗であり、陸軍省依託《いたく》学生として東京帝国大学経済学部で学んだ経済通だった。秋丸機関の名がよく知られている一つの理由は、機関の理論的支柱だった人物が、第二次人民戦線事件で起訴保釈中の東京帝国大学経済学部助教授・有沢広巳だったことによる。戦後、傾斜生産方式で著名となる有沢が、いかなる報告書を陸軍に提出していたのか。これは誰しも読んでみたくなる代物に違いない。

著者は、秋丸機関史料に最も通じた経済学者。本書でも、著者発見による「英米合作経済抗戦力調査（其二）」や「独逸経済抗戦力調査」が縦横に用いられている他、同機関をめぐる神話にもメスが入った。神話の一つに有沢自身による語りもあった。秋丸機関による報告書は国策に反するとして批判されたので、対英米戦の無謀さを赤裸々に解明した同報告書は、日の目を見ずに全部焼却処分にされたというものだ。

だが、と著者は言う。報告書の結論、英米経済力の弱点を船舶輸送力と見、大西洋上のドイツによる船舶撃沈量を月50万噸《トン》維持できれば、枢軸国にも勝機はあるとの結論などは、当時の一般雑誌にも普通に掲載されていた常識的な議論に過ぎない、と断ずる。自ら発掘した史料的価値に自ら疑問符を投げかける著者の学究的な姿勢は感銘を覚えるほどだ。

日本側は正確な情報を摑んでいた。そのうえで行動経済学の知見は次のように教えると著者は言う。現状維持の選択肢と、開戦の選択肢が並ぶ時、国際環境の変化などによるわずかばかりの可能性がある場合、人はリスク愛好的な方を選ぶという。開戦を選ぶのだ。この世には、身悶《みもだ》えするような真理もある。

（2018年9月2日）

Ⅴ　世界の中の日本

現在の日本においては、国境はほぼ海によって隔てられている。戦前期までは台湾を植民地として獲得し、大韓帝国を併合し、関東州を租借地にしていた日本の国境には、地続きの地域もあったが今は違う。ある意味、海に隔てられた国で育つ子どもらの内向きの充足感に、これで大丈夫なのだろうかと不安になる人々もいるのだろう。

だが、少数とはいえ、国際機関で働く人々、ＰＫＯ（国連平和維持活動）、自衛隊、災害救援等の活動のため、海外に赴く人々は一定数おり、彼ら彼女らの評判は概して高い。また、中東の砂漠まで電化製品を売り歩き、修理の要求にも誠実に対応していたビジネスマンの姿は高度成長期の日本人の語り草となっていた。

一方で、日本人を迎える海外の人々の日本イメージが、ステレオタイプも含め、広島・長崎への2発の原子爆弾から復興した国、平和主義を掲げた憲法を持つ国であることに、日本と日本人はもっと自覚的であってよい。ここに取り上げた2冊は、世界の中で信頼され誠実に働いた人々の姿を活写している。問題は、世界の中で真面目に活動した日本人を、母国の側が必ずしも支援しないという、不可思議な構造にある。

若者と国家の双方に いかに生きるか指南する

『本当の戦争の話をしよう 世界の「対立」を仕切る』

●伊勢崎賢治＝著／朝日出版社

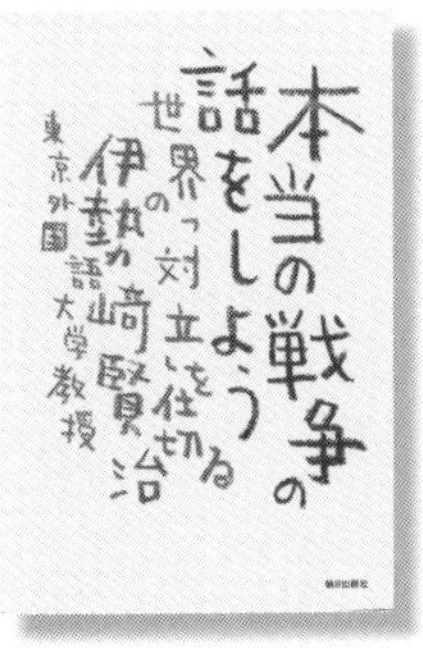

この本についてはカバーの描写から入りたい。まっさらな画用紙に群青色のクレヨンで「本当の戦争の／話をしよう」と縦2行に書き、すぐ脇に赤のクレヨンで副題をぎゅっと寄せて書く。その左に「この人は怪しい大人ではありません」とばかりに、緑のクレヨンで書かれた著者の名がぴたりと寄り添う。

装丁は寄藤文平、吉田考宏両名の合作。寄藤といえば、ＪＴの「大人たばこ養成講座」や、東京メトロのマナー向上ポスター「家でやろう。」がすぐさま浮かぶ人も多いだろう。画用紙とクレヨンの合わせ技で素朴に迫っているように見えても、そこは1ミリの無駄もないプロの仕事。この本がいかなる状態で書店に置かれていようとも、必ずや読者の目に留まるのは疑いない、そのような目立つ本となっている。

こう書いたのは、本書を世に送り出した出版社を、評者がよく知っていることに触れずに書評するのは公平ではなかろうとの思いがある一方、書店の本の大海原の中にあっても、評者は本書に必ずや出合っていたはずだとの確信もあるからだ。

評者は、著者の伊勢﨑と同じく高校生を相手に、5日間みっちり議論した本を同じ出版社から以前出したことがある。評者は日本史を戦争から考えたが、氏の場合は現代の国際紛争を武装解除という切り口から、福島県立福島高校の生徒と共に考えた。教えていたつもりが、最後に「こちらが丸裸にされていた」とは、あとがきにある著者の感慨。

基地の街・東京立川に生まれ育った若き日の伊勢﨑は、インドはボンベイのスラムに入り、40万もの住民を、共同トイレや上下水道などの公共インフラ設置要求を軸に束ねていった。なぜそれが可能だったのか。この体験を初日の授業で披露した著者は、分断された個々の人々を、部外者がまとめる際のコツを教える。

在地コミュニティーの中にいる、穏健なリーダー格の人物をまずは見つけること。そのうえで彼らが共闘しうる目標を設定し、横につなぐのが極意だと。この手法が、著者の専門とする「平和と紛争」学のイロハに相当すると同時に、高校生たちが近い将来、未知の世界に羽ばたく際の、始めの一歩にもなっていることに気づけば、著者と共に学ぶ旅はもう始まったも同然だ。

インドを後にした青年が向かった先はアフリカ。国際NGO（非政府組織）の現地代表としてシエラレオネを振り出しに10年。彼《か》の地では、RUF（革命統一戦線）に対抗する自警団の組織化もやってのけた。これが評価されたのだろう、2000年国連の依頼で、東ティモール暫定政権下の県知事に就任し、インドネシアからの圧政離脱後の回復に努めた。翌年には再び国連の依頼により古巣のシエラレオネに戻り、50万人が犠牲となった内戦後の武装解除にあたる。この後、伊勢﨑の名を世に知らしめた、2003年からのアフガニスタンでの武装解除がくる。この時の依頼人は日本政府だった。

評者にとっては、軍閥支配下の24万人もの武装解除がなぜうまくいったのか長らく謎だった。今回、福島高校の生徒たちが著者を丸裸にしてくれたおかげで、ようやく納得がいった。成功のカギは、伊勢﨑が、当時国防次官の地位にあった若き軍閥のリーダーに目星をつけ、言葉によって彼を辛抱強く説得し続けたことにある。いわく、「平和国日本は、憲法上の理念と制約」がある、よって「日本国民の血税は、戦闘員を利することに使えない」のだと。言葉がひとを動かしてゆく。

60億円もの国際支援金が欲しければ、武器を捨てて動員解除に応じろ、とも迫っただろう。だが、日本という国はアフガンを自国の利益追求の道具になどしないし、ましてそのための武力を用いない国だとの説得は、効果的でもあり信頼もされたという。日露戦争でロシアを敗北させたアジアの小国日本。太平洋戦争ではアメリカから広島、長崎に原爆を落とされた日本。アフガンの若きリーダーの目に日本は、アメリカとは別個の歴史と価値観に立つ国として映じていた。日本などアメリカの51番目の州だと思われているに違いないと決めてかかっている向きには衝撃的な事実だろう。

若い魂が希求する本には、いかに生きるべきかとの大文字の問いが書かれていることが多い。大人の世界に参入する際の秘訣が本書にきちんと書かれていたことは既に見た。そのうえで武装解除のくだりから次のことに気づかされる。

この本には、日本という国が世界の中でいかなる地位を占めるべきなのかという、大文字の問いへの答えがしかと書かれている、と。かつて日本は、誤った国策に導かれ戦争を行った。だが、敗北後は粛々と武装解除し、戦後の70年間は戦争放棄の一枚看板でやってきた。この国の歩みそれ自体が、紛争多き国際社会において日本の持つ稀有《けう》な存在価値を保証するのではないか。若者と国家の双方に、生き方を指南できる本はそうそうない。

（2015年3月22日）

停戦合意が破られた戦場では何が起きていたのか

『告白　あるＰＫＯ隊員の死・23年目の真実』

●旗手啓介＝著／講談社

今や世界は、冷戦が終結しアメリカ一強となった時代から、大国間の対立の時代へと移行したようだ。英誌『エコノミスト』最新号も、「次なる戦争」と題した特集を組み、大国間戦争の時代が再びやってくる可能性が高まったと分析した。

一つの時代が終わろうとしている今、私たちがぜひとも思い出し、検証しておくべき、冷戦終結直後の一つの歴史が、本書によって解き明かされた。ご記憶だろうか。１９９２年、宮澤喜一内閣がＰＫＯ協力法を成立させ、カンボジアＰＫＯに初参加した歴史を。

１９９１年パリでカンボジア停戦協定が調印されたのを受け、国連監視下での総選挙実施の援助者として、自衛隊、文民警察官、国連ボランティアが派遣された。１９９３年５月末、懸案の選挙は終了し、国連カンボジア暫定統治機構（ＵＮＴＡＣ）代表・明石康は「自由で公正な選挙が行われた」と凱歌《がいか》をあげた。たしかに、有権者登録数470万人以上、投票率9割近くという数値を達成してはいた。

だが、日本から文民警察官として現地に赴いた、全国警察の俊英七十余名の肉声は、全く異なる事態を伝えていた。本書から引く。カンボジアの治安情勢について、いわく、「内戦中だったんですよ。パリ和平協定なんて全然守られていなかった」。兵站《へいたん》を軽視し違法な命令を強いたUNTACに対して、いわく、「明石氏に正解を聞きたかった」。

何が現地で起きていたのだろう。本書は、2016年8月放映のNHKスペシャル「ある文民警察官の死」を作製したディレクターによって書かれた。内外の賞を総なめにした番組を成り立たせ、また本書の中核をなしたものは、仲間の命を奪われた隊員らが保管してきた原史料や記録だった。彼らも一時は死を覚悟し、「正確にこのこと（現地の状況）だけは伝えよう」と互いに励まし合い、覚悟の上で記録を残していた。

著者の旗手啓介が番組を作ろうと決意した動機も、文民警察隊長だった山﨑裕人から、当時の手記や報告書を提供されたことにある。政府が公文書を適正に保存しないのみならず、廃棄する事例に事欠かない日本では、歴史の検証は困難を極める。それを思えば、本書の大事さが身にしみてよくわかる。

命を奪われた仲間とは、1993年5月4日、対戦車砲と自動小銃を持つ「正体不明」の武装勢力に襲撃され、死亡した高田晴行警部補をさす。高田を襲撃した相手はわかっているが、UNTACと政府は正体不明にこだわる。その理由は後で述べよう。

選挙と戦場。この二つは本来両立しないはずだ。PKOが可能なのは、PKO参加五原則のうち、①紛争当事者間で停戦合意が成立している、②紛争当事者の受け入れ合意がある、この2条件を満たす場所だ。だがカンボジアは、ある時点から、この条件を満たさない場所へと変貌を遂げていた。

パリ協定に調印し、停戦に合意したのは四つの陣営だった。その最大勢力がプノンペン政府軍派であり、残りの反政府3派の一つがポル・ポト派だった。ポト派といえば、1970年代半ば、一時的に政権を掌握した際、800万人の自国民のうち100万〜200万人を虐殺と餓えで死に追いやった一派にほかならない。

停戦から選挙までに、必ず完了させなければならないのが武装解除のはずだった。パリ協定も4陣営に7割の武装解除を要求してはいた。だがポト派は、選挙前に最大限勢力拡大を図ろうとし、武装解除せず、自らを武装した民警だとして、政府軍との戦いを続けていたのだ。

本書を読んで震撼したのは、髙田の配置された警察署の場所が、あろうことか、ポト派の新しい根拠地に最も近い場所だったことだ。この危険性にＵＮＴＡＣも政府も全く気づけなかった。ある隊員の嘆き。「なぜだれも日本から、現場に話を聞きに来ないのか」

今日までにわかってきたのは、１９９３年3月の時点でポト派が、停戦合意を破棄し、選挙をもボイコットする決断を下していたことだ。その時からポト派にとっては、選挙支援に奔走する日本人は、敵として目に映じたことだろう。

停戦合意が破られているならば、文民警察官は撤退しなければならない。隊員を率いる山﨑はそう判断した。だが、総選挙実施という成果を上げたいＵＮＴＡＣも政府も、撤退の上申を認めなかった。先に、「正体不明」の武装勢力と書いた。ＵＮＴＡＣも政府もポト派だと明示できなかったのは、認めたが最後、ＰＫＯ五原則の前提が崩壊するからである。

鳴り物入りでなされた平和維持活動。現地警察官を指導し、通常の日本の警察業務と同じことをするのだと説明され送り出された場所は、弾丸が頭の上を飛び交う正真正銘の戦場だった。南スーダンに派遣された自衛隊部隊の２０１７年夏の「日報」問題が想起されるではないか。

隊員の死の全貌を明らかにすることで、世界が新たな時代に突入する今、ＰＫＯの真実を私たちの手元に届けてくれたのが本書だ。過去を正確に描くことでのみ、よりよい未来への道も開けよう。

（２０１８年２月11日）

おわりに

実を言えば、２０１０年から連載のコラム「時代の風」が11年後のこの夏刊行の本書の中で「通用する」のか、不安しかなかった。的外れの分析や不適切な教訓を書いていないか心許《もと》なかった。最終的な評価は読み手の皆さまに委ねるが、書き手として読み返し、撤回をお願いしなければならないほどひどくは感じなかったのは幸いだった。

その理由を考えてみると、リーマン・ショックや東日本大震災といった内外の危機によ る尋常ではない緊張感によって、書き手の目が見開かれていたせいだと思われる。先の大戦は、自国のみを利する閉鎖的な地域秩序を東アジアに敷くことで、１９３０年代の経済危機と軍事危機を克服しようと図った我が父祖らの基本的な社会秩序構想＝憲法が、英米側のリベラル・デモクラシーの国々の軍事力によって打倒されたことを意味する。ぎりぎりの最終盤で日本は、憲法を書き換えることを選択し、戦争は終結した。

だが、2020年以来の新型コロナウイルスをめぐる国の対応ぶりを回顧するにつけ、国家は国民を守らないのではないか、国家と国民が交わした戦後の社会契約の正味期限が来てしまったのではないか、との不安が社会を覆うようになったと感じる。自由のもたらす恵沢を国民のためにしっかりと確保し、国民からの厳粛な信託を受けた政治の成果としての福利を国民にしっかりと享受させうる国家は見失われた。新型コロナに起因した、格差の急速な拡大に対処しえない国家を、第二次世界大戦時の戦争中の比喩で批判する言説が日本のみならず世界各国で見られたのには理由があろう。戦争を画期として戦後に生まれた社会契約の機能不全が世界各地で見られるようになった。

国家の再生が必要となる時、ひとは国家の来歴を求め、自らの父祖の歴史をたぐり寄せる。だが、そうする時、自らの国家が他国との間でつむいだ歴史に潤色を加えようとするのは無意味だ。嘘《うそ》をつくには相手がいるが、他国は国家の嘘につきあってはくれない。

歴史の真実は、人間の行動の記録として残された事実だけで成り立っているのではなく、人間が書いたり発したりした「言葉」に現れた知性の営みの中にもあると先哲は教えてくれている。真実の歴史を「言葉」から探ること、本書ではこれを目指した。

最後に、この本を編集して世に送り出してくださった毎日新聞出版の編集者・峯晴子さんに深くお礼申し上げる。好き勝手な方向性を持って、その時々に書かれた「時代の風」と「加藤陽子の近代史の扉」の文章を核として五つの内容に振り分け、毎日新聞のインタビューに答えた著者の何本かの記事をそこに入れ込み、さらに五つの内容に関係した書籍を「今週の本棚」に著者が寄せた書評群から探し出して六つめの柱に仕立てた、その凄腕ぶりには頭が下がる。あたかも、10年間、書き手の作業を背中ごしに見つめ続けてくれた人が本を編んでくれた、そのような深い感慨を覚えた。

2021年　後世に記録されるべき五輪の地で

加藤陽子

初出一覧

掲載媒体はすべて毎日新聞

●第1章　国家に問う――今こそ歴史を見直すべき

コロナ禍めぐる対立　説得で最適解へ導け――「加藤陽子の近代史の扉」2020年4月18日
無し　許されぬ「五輪プランB」内外への深い洞察　根底に――「加藤陽子の近代史の扉」2021年2月20日
学術会議の自律性保障　日本側が磨いた学問の自由――「加藤陽子の近代史の扉」2020年11月21日
学術会議「6人除外」「人文・社会」統制へ触手――「加藤陽子の近代史の扉」2020年10月17日
「どうせ女は…」加藤陽子さんが今も許せない「グロテスク」な言葉
――デジタル特集Gender×JAPAN「声をつないで」2021年3月12日
自己の揺るぎない評価軸　天賦人権論への確信こそ――「加藤陽子の近代史の扉」2020年5月16日
議事録の意義　歴史書くには文脈が必要――「加藤陽子の近代史の扉」2020年6月20日
「正義」に敗れた5・15事件の記憶　国民感情と検察権力――「加藤陽子の近代史の扉」2020年7月18日
学術会議「再定義」のもくろみ　危うし「ボトムアップ型」科学――「加藤陽子の近代史の扉」2020年12月19日
菅氏の決定歴史に刻む「任命拒否」　5人参加　学術会議連携会員で――2021年4月7日
危機の時代、長期消耗戦回避へ　決断は最高度の慎重さ基に――「加藤陽子の近代史の扉」2021年4月17日
世論が政府の姿勢「変えた」学術会議問題の政治過程――「加藤陽子の近代史の扉」2021年6月19日

●第2章　震災の教訓――東日本大震災10年を経て
原発を「許容していた」私――「時代の風」2011年3月26日
震災と責任の丸投げ　立憲的に動けぬ国家よ――「時代の風」2011年5月8日
原発事故　失敗生かすには　主観的情報　ワクチンに――「時代の風」2011年6月12日
原発事故の原因　欠けていた俯瞰と総合――「時代の風」2012年1月15日
大震災　国の記録　政治家の気迫伝わるか――「時代の風」2012年3月25日
公文書の不在　根幹に政治の不在――「時代の風」2012年2月19日
原発事故と原爆　彼岸から語りかける理性――「時代の風」2011年7月17日

●第3章　「公共の守護者」としての天皇像――天皇制に何を求めるか
天皇のあり方熟議のとき　神話の国で「自分の木」を思う――「加藤陽子の近代史の扉」2021年1月23日
「象徴天皇」含め国会で議論を――「論点／シリーズ・退位 有識者会議 論点整理」2017年1月24日
時代に即した法制度に――「論点／元号を考える」2019年4月3日
「公共」再構築の好機に――「そこが聞きたい 天皇代替わりを振り返る」2019年12月17日
天皇像を再考する　虚構に抗する理性とは――「時代の風」2011年8月21日

●第4章　戦争の記憶――歴史は戦争をどう捉えたか
「復元ポイント」をめぐって　歴史見直し　消極的な日本――「加藤陽子の近代史の扉」2020年8月15日

内閣の短命と外交　自己イメージ 正しいか――――「時代の風」2011年2月20日
幾つかの日本人像　アナーキーで巧妙で――――「時代の風」2010年4月4日
防災と国防　どう激烈の度を増すのか――――「時代の風」2011年9月25日
孤独恐れる時代に　日々の風景　変わる体験を――――「時代の風」2010年10月31日

●第6章　歴史の本棚

Ⅰ国家に問う

久保亨、瀬畑源『国家と秘密　隠される公文書』集英社新書――――2014年11月16日
橋本治『思いつきで世界は進む―「遠い地平、低い視点」で考えた50のこと』ちくま新書―2019年7月21日

Ⅱ震災の教訓

ウルリッヒ・ベック、島村賢一訳『ユーロ消滅？ ドイツ化するヨーロッパへの警告』岩波書店―2013年4月14日

Ⅲ天皇と天皇制

山田朗『昭和天皇の戦争 「昭和天皇実録」に残されたこと・消されたこと』岩波書店――2017年2月26日
春名宏昭、高橋典幸ほか『皇位継承　歴史をふりかえり　変化を見定める』山川出版社―2019年6月9日
池田さなえ『皇室財産の政治史　明治二〇年代の御料地「処分」と宮中・府中』人文書院―2019年9月1日
新城道彦『朝鮮王公族　帝国日本の準皇族』中公新書――――2015年5月17日

Ⅳ戦争の記憶

井上ひさし『初日への手紙―「東京裁判三部作」のできるまで』白水社――――2013年12月8日

伊藤剛『なぜ戦争は伝わりやすく平和は伝わりにくいのか　ピース・コミュニケーションという試み』光文社新書――2015年10月25日

西川祐子『古都の占領　生活史からみる京都1945-1952』平凡社――2017年10月15日

牧野邦昭『経済学者たちの日米開戦　秋丸機関「幻の報告書」の謎を解く』新潮選書――2018年9月2日

V世界の中の日本

伊勢﨑賢治『本当の戦争の話をしよう　世界の「対立」を仕切る』朝日出版社――2015年3月22日

旗手啓介『告白　あるPKO隊員の死・23年目の真実』講談社――2018年2月11日

加藤陽子 かとう・ようこ

１９６０年、埼玉県生まれ。東京大学大学院人文社会系研究科教授。１９８９年、東京大学大学院博士課程修了。山梨大学助教授、スタンフォード大学フーバー研究所訪問研究員などを経て現職。専攻は日本近現代史。２０１０年、『それでも、日本人は「戦争」を選んだ』（朝日出版社）で小林秀雄賞受賞。『戦争まで 歴史を決めた交渉と日本の失敗』（朝日出版社）で紀伊國屋じんぶん大賞２０１７受賞。著書に『戦争の日本近現代史』（講談社現代新書）、『戦争の論理 日露戦争から太平洋戦争まで』（勁草書房）、『満州事変から日中戦争へ』（岩波新書）、『昭和天皇と戦争の世紀』（講談社学術文庫）、『天皇はいかに受け継がれたか』（績文堂出版）、『天皇と軍隊の近代史』（勁草書房）などがある。

この国《くに》のかたちを見《み》つめ直《なお》す

印刷　2021年7月15日
発行　2021年7月30日

著者　加藤陽子《かとうようこ》
発行人　小島明日奈
発行所　毎日新聞出版
〒102-0074
東京都千代田区九段南1-6-17　千代田会館5階
営業本部　03（6265）6941
図書第二編集部　03（6265）6746

印刷・製本　中央精版印刷

ISBN978-4-620-32690-0